ゆまに書房
書誌書目シリーズ⑫⑥

第四巻

諸字類集成

――小山田与清『群書捜索目録』Ⅴ――

家筑三類語　上・中・下

［監修・解題］梅田　径

凡例

一、本叢書は、国立国会図書館蔵『群書捜索目録』の中から、比較的小規模な語句・語彙索引八点一七冊を集成したものである。小山田与清編の古典籍索引『群書捜索目録』は、もともと水戸彰考館に所蔵されていた和書・漢籍・仏典の大規模な総合索引叢書であったが、原本は戦災で焼失した。その副本のごく一部が国立国会図書館に納められているに過ぎない。本叢書では、利用しやすいように『群書捜索目録』を再編集して復刻する。

一、本叢書の構成は、末尾に掲載した表の通りである。国立国会図書館では『群書捜索目録』全冊に通番を付しているが、復刻にあたってはその整理順を踏襲していない。

一、復刻に際し、各書の構造を反映した形で目次を付し、書名および見出し語について左の柱に、イロハ順の配列位置を右の柱を付した。各作品の解題は、第九巻の巻末に掲載した。また、書名については外題・扉題・内題より適切なものを選び、復刻上の統一書名とした。ただし、国立国会図書館の付した名称や番号を使用した場合がある。

一、本叢書においては、書名、人名等の漢字は、原則として通行字体に統一し、また人名、書名等も代表的なものに統一を試みた。

一、本書製作にあたっては国立国会図書館の許可のもと、新たに撮影されたデジタル画像を底本に利用した。

一、原本の書誌については解題に記した。字高などに配慮して適宜縮小や画像調整を施した場合がある。朱墨の別は濃度等で判断されうるものについては特に触れていない。

一、復刻の許可を賜った国立国会図書館、また原本の閲覧等で多く便宜を図ってくださった同古典籍資料室に御礼申し上げます。

〈全巻の構成〉

第一回（全五巻）

第一巻　「大八洲記標目」
第二巻　「八部字類抄　上」
　　　　「八部字類抄　中」
　　　　「八部字類抄　下」
第三巻　「色葉集字類」
　　　　「本草和名字類」
第四巻　「家筑三類語　上」
　　　　「家筑三類語　中」
　　　　「家筑三類語　下」
第五巻　「和名抄類字　上」
　　　　「和名抄類字　下」

第二回（全四巻）

第六巻　「令義解目録　一」
　　　　「令義解目録　二」
第七巻　「令義解目録　三」
　　　　「令義解目録　四」
第八巻　「歌学索引　一」
　　　　「歌学索引　二」
第九巻　「歌学索引　三」
　　　　＊解　題

第四巻　目次

家筑三類語　上　七
家筑三類語　中　一六一
家筑三類語　下　二九九

家筑三類語　上

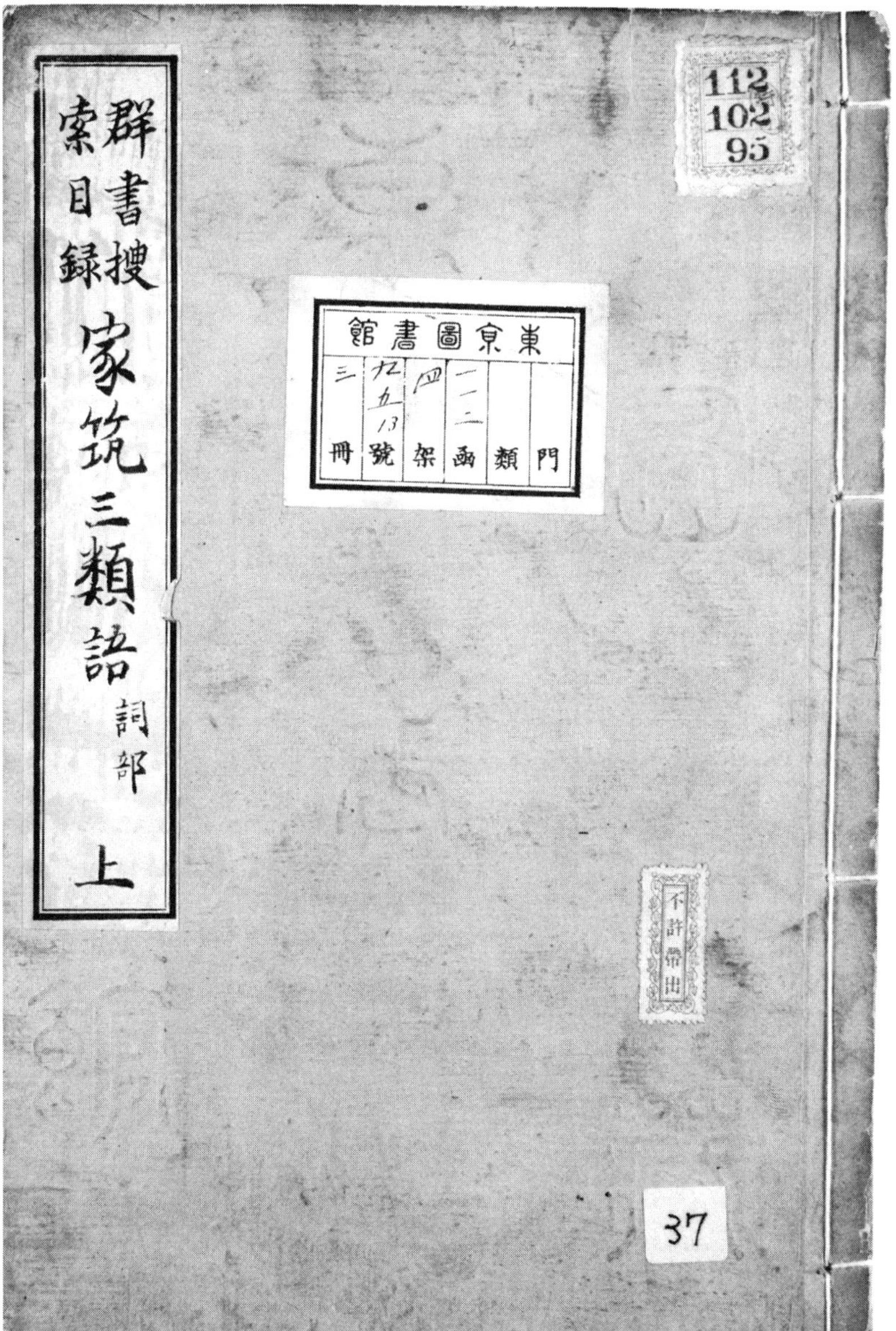

群書捜索目録
家筑三類語
詞部
上
東京圖書館
門
類
函 一一二
架 四
號 九五 13
冊 三
112
102
95
不許帶出
37

家筑三類語

上

家筑三類語

家長日記　写本

家日

筑波集　写本

三國傳記　刊本

國

伴

鞬ヲ取テ旗ノ文トス　周十ノ十五ウ

いろはの字を句の始にすへて連歌　筑十六ノ九ウ

色黒キコト漆テ塗タルカ如シ　周八ノ卅ウ

岩花といふよき鷹　筑十九ノ十九ウ

いはもはし―　十二ノ九ウ

岩ねそことと　十四ノ八ウ

いはきなきのり―　家四ノ一オ

岩木ナラネハ　周ノ三ノ十八オ　同一ノ五十オ

岩の御船 國ノ十二ノ廿六オ

イバラ 同四ノ廿六ウ

家の山水 廿一ノ三オ

家主 （國十二ノ廿三オ 同四ノ十五ウ） 同四ノ廿六ウ

家迄川河南北岸ヲ通ヒ上下往来船 國十一ノ五オ

池王ヲ退治スベトシテ 國ノ十一ノ廿七オ

家路もわすれ 家七ノ一オ

家の風 同ノ十五ウ 同廿三オ

家桜 （筑ノ十九ノ十九オ 同十二ノ六オ）

いとなき

各其身の道には万つくしきこのつへる事也　（家白ノ四ヲ二ウ）（同四ウ）　同ノ四十二ウ

一葦の船　同二ノ十九オ

一文不通の人　同ノ三ノ十三ウ

一樹陰宿一河流汲皆是多少契　同四ノ十四オ

汲一河流宿一樹陰　同十ノ七ウ

一行禅師事　同二ノ卅八オ

一万句の連歌　廿ノ四オ

いちこ　十九ノ十七オ

一文字　十九ノ九オ

一夏の行ひ　十二ノ十三ウ

一樹陰ノ宿一河流ヲ汲モ皆曠劫ノ契ナリ　同一ノ廿八オ

犬ヲ神ト崇ム　同ノ二ノ廿八オ

犬ノ子　同二ノ廿七ウ

犬ならしも　十九ノ十四ウ

打はらふ人のなり　十九ノ十五オ

いぬ蓼　十九ノ十三ウ

異賞　同四ノ卅二オ　同ウ

魚ノ腹ノ中ニ收テ　四ノ廿ウ
いのき　伯あし　（甲七ウ　十二ノ十五ウ　七ノ九オ
いかゝし　十九ノ十オ
いたつらわさ　數四ノ八オ
イツカズ　丙三ノ廿四オ
いそぢうひ　十七ノ十四オ
いそやの庭　十九ノ十三オ
イツキ冊ク　國五ノ九ウ
一千日ノ湯ノ施行　四ノ二ノ三十ウ

依一首歌二首歌眼を開く事　國廿ノ十四オ日

ヲッ一 サハリ　日八ノ卅七ウ

一家棟梁　日四ノ十四ウ

一句かきよ　廿ノ十五ウ

形家武新　國八ノ廿四ウ

形家式部黄船参て歌　日一ノ四十オ

一角仙人事　日二ノ卅七ウ

イツマテ草ノイツトナク　日三ノ卅五オ

イツノマニカ　日四ノ卅七オ

いねもり　十九ノ十オ
稲村城　同ノ七オ
稲莚　子ノ九オ
いなむらかせゐる　十四ノ十三オ
因果難遁事　國十一ノ一オ
印板ヲ開キ　同七ノ十四オ
忌數　同四ノ十二オ
生唼磨墨ト云名馬　同四ノ廿八ウ
川聲ノ念佛道場　同十ノ卅五オ

池ノ主ノ我妻カノ事ハ乙ヤ　國十一ノ廿五オ

生贄ニテ備フ　同一ノ十三オ

池上阿闍梨皇慶　同九ノ廿四オ

池主ノ龍女　同十三ノ十七ウ

伊賀阿三郎厳ノ事　同六ノ五オ

イフカヒナキ心　同四ノ卅四ウ

出羽郡司小野好實　同一ノ十二ノ八オ

伊弉諾尊伊弉冊尊男女ト交合事ヲ知始天照大神産　國六ノ三オ

イザ宵ノ月待程　國二ノ一ウ

いさご流る　御会ニいつる　十三ノ八オ

石知道河稍人多　国二ノ廿七ウ

石の火　十四ノ十八オ

石をうつ　家卅ノ六十三オ

石急渡河南渡　国四ノ卅八オ

石塔　四二ノ十ウ

石の面浄頗梨鏡ノ如クニ成テ　四三ノ十三オ

いしのおもてさしかくし　家四ノ二ウ

石佛　十九ノ十九ウ

石佛堂　国三ノ十ウ

いひそゝす　家四ノ一ウ

イヒカヒナキ心　国四ノ卅四ウ

呂

六てうしの中のさうてうありし　家四ノ四十六ウ

六十六ヶ國巡礼補陀　國十ノ十四ウ

魯ノ郡孤安蘇率　四七ノ廿六オ

轆轤ヲ挽テ　四一ノ十八オ

六十六部法花經ヲ書テ六十六ヶ國ノ霊地ニ奉納　國十ノ十五オ

六寸白蛇現　國四ノ十七オ

鹿埜園鹿王ノ事　四十二ノ十四オ

六波羅ト号ノ西國ノ沙汰執行ハセ　四十ノ十六ウ

盧山遠法師変

囉菜

國三ノ十二月

國四ノ卅ノ

波

はいせんの記　家口ノ一ウ

拜見スルニ　圓ノ卅三ウ

はいせん　家口ノ一ウ

母ノ御事モ恋シカリケレハ思召ヤラ香山寺ヘ参給　圓十二ノ四オ

母ノ左脇ヨリ生ス　圓ノ十六ノ廿五オ

母子三人賢人　口一ノ五十一オ

鳩の杖　家口ノ卅三ウ

八字霊表　（圓一ノ卅三ウ
（口十一ノ九オ

八月十五夜雨降月曇　同五ノ廿八ウ

八月十五夜　同九ノ廿九ウ　家同十三オ

八字雪　同七ノ廿四オ

鉢女ノ額ニ中テスリ付タリ　同十ノ卅二オ

八万四千基塔　同六ノ一ウ

八院別当房　同七ノ十三オ　同十七ウ

八丈百疋　同五ノ十九オ

蓮糸ヲ集テ極楽浄土ノ変相ヲ織　同十ノ卅四オ

八軸ノ経　同五ノ十一ウ

八葉白蓮一山まとアラハレクリ　國十二ノ四十四ウ

ちらゝふかきゝ君ゝ代　家日ノ卅一ウ

墓堂　國十六ノ十八オ

墓原ニテ大小ノ墓堂ニテリ有ケル　日ノ十八オ

墓原　國五ノ十八ウ

ましありむし　五ノ十オ

膚アラクメ色黒ク　國八ノ卅一ウ

嘆間待　日四ノ十五ウ

ハツレタリ　日十一ノ卅二オ

八諸の始　図九ノ八オ

八講名付延暦十五年始開八座講席　日九ノ十ウ

走つ推索　家日ノ五十六ウ

八宗熱博大光　例既稀ナリ　図九ノ廿六オ

八頭ノ大蛇　日十一ノ十八オ

ハヅル　日七ノ廿四オ

ハワレヨリ柳髪ノ粧桃眼ノ嬌　日十二ノ廿一ウ

ハット吹係ケ　日ノ日

初午日　日七ノ廿八ウ

花の兄梅　十二ノ六才
花を貴女　閏六ノ四十四
花のいのち　廿ノ三才
花のと山　一ノ十五才
花うつほ　一ノ十四才
花さかり　十三ノ十三才
花見ところ　二ノ八才
花見車　四ノ九才
花のつま　四ノ八才

花のかほ　廿ノ二ウ

花のもとのまとゐ遊宴　序の四オ

花のさゝき　二ノ五ウ

花かつら　國十一ノ九オ　同ウ

花鳥とり　一ノ十四オ

花の山の僧正仁寿殿にして賀を給はるを例
として和歌所にして賀を玉ふ御賀を下さる　家日五八オ

はなちる　（十六ノ十三オ）（五ノ九ウ）

はなちるの業　九ノ九ウ

ハナヤカナル姿　西五ノ十九ウ

鼻高ク仰テ　同八ノ卅三ウ

すらりと　類四ノ五十四ウ

するりの　同ノ五ウ

すらむ様　十二ノ廿三オ

ハラヘト　西ノ卅四ウ

波羅奈國比丘事　四ノ十ノ一オ

婆羅門僧正唐ヨリ来天竺供養セシ下本朝渡リケル　國字　桃三ウ

班足王殺千王取事　西二ノ十ウ

般若心経　五下ノ卅三オ

般若儀ニ動テ沈没忽失　日上ノ卅七オ

班竹　日七六ウ

だん盤　家日ノ一ウ

放下　周八ノ十オ

宝石瑞光　日二ノ廿七ウ

報恩講　日ノ四十オ

宝蓋出家事　日上ノ廿五オ

防風氏無礼事　日七ノ十一オ

宝剣ヲ土中ヨリ堀出セリ　國十ノ十六オ
方一丈ノ室　同一ノ四オ
宝蓮香比丘尼事　同六ノ十一ウ
宝形作ノ御堂　同十三ノ廿オ
宝室寺僧法花ノ事　同九ノ廿九ウ
望西比丘事　同三ノ十三ウ
羽含　ハコクミ　同五ノ十七オ
まぐはし親　家四ノ一オ
誄　クヒシハリ　國三ノ卅二オ

白衣　玉丁卅七ウ

舊物羅雖不受一錢供養之　同七ノ一オ

ハヤタツノ此阿浪　同二ノ三オ

早く　同四ノ十二ウ

蛤貝ヲ以大海水ヲ汲　同九ノ十一ウ

長方くり　十九ノ十二オ

何ころもの袖　家同ノ卅三才

箱根權現和光物語之変　玉ノ七ノ十一ウ

箱の侍もふ比叡の山　十四ノ三ウ

萩の戸　大内　ア九ウ

ハキモノ取テ流之出ケル　国九ノ廿四ウ

馬鳴龍樹兄弟昔事　旦一ノ十五才

橋ましふのきれ　家旦ノ廿六ウ

ましてちりふくつの聲　旦ノ十才

波斯匿王舎衛城合戦静ノ事　旦ノ廿才

波斯匿王國珠ヲ盗ミ入佛道事　旦四ノ廿二才

橋爪　国三ノ十七才

橋爪ナルツトハ　旦ノ二十才

櫨染小袖　同四ノ廿二オ

はしの立え　十二ノ廿オ

ハシタナリ　同四ノ十六ウ

灰うら　古　九ノ六オ

長谷靈験　同九ノ廿二ウ

長谷雄卿　同十一ノ十三ウ

仁

二人ハ川従五家ニ分レタリ　五ノ十一ノ卅七オ

二人念仏者各ハ情甚深法問を好ム事　四ノ八ノ卅五ウ

尓るの　市る菓　十四ノ六オ

日本ゆすりて六十六ヶ国のゆつゝひ　義同ノ六十二ウ

日羅上人　同一ノ七ウ

二王　四ノ五ノ卅五オ

尓ゝきむ　十九ノ廿一オ

入唐　同十一ノ廿九ウ

日）絵

如幻僧都發心事

如来堂御本尊

如法経ノ紙衣

如来禅

女性ノ二才ニ成時乳母ノ懐ニ朝庭ヘ出タリケルカ利剣ヲ捕持　日六ノ八オ

如法経事　國十ノ三オ

薤ト云物ヲ持タリケルヲ庭ノ物来テ摘之　日十ノ卌六オ

薤其外ノ根ヲ巻テ出ントセリ

人皇之祖　國ノ十二オ

仁王齊會　日五ノ十五オ

忍辱仙人事　日十ノ卅五オ

人間鳥鷄鳥　日一ノ卅七ウ

二月初午日　日七ノ廿八ウ

入胎間十二箇月　日一ノ二オ

入定　日五ノ九ウ

入木切　日ノ日

二基ノ蓮花　日十ノ廿四ウ

錦御旗　五ノ二ノ十才

珥比磨利菟玖波　十九ノ廿六ウ

錦を着　きてひ衣　十七ノ廿四ウ

保

布衣始の夜　家四ノ五ウ

布衣着し見　同ノ五オ

ほろ〳〵と泯落　五ノ十オ

ホヽメキテ　同九ノ十三ウ

程せまきやうら　五ノ二ウ

佛を織しと蓮の糸取る　八ノ七ウ

帆懸ヶ舟付タル梅ヶシノスワウ　國四ノ廿六オ

ホダサレ　同九ノ廿七オ

法花聴聞功徳　同八ノ廿子ウ

法花奇特事　同十ノ十才

法花利生事　同十二ノ丗八才

法相宗東大寺法花僧都房　同子ノ九才

法花勝利事　同九ノ廿五ウ

法花奇特　同十ノ十才

法花讃　同二ノ罕才

法花頓写事　同七ノ廿才

法花経分ル軸事　同八ノ十才

法花誨　團九ノ十ウ

本朝佛法元祖上宮太子　同一ノ卅六オ

本朝念佛ノ祖師　同ノ卅六ウ

本式　廿ノ二ウ

ホウ骨イカリテ　團四ノ廿五ウ

法眼　同十ノ卅七オ

北斉稠禅師　同一ノ十六ウ

費句　廿ノ一ノオ

穆王馬ヨリ下リテ舎座ニ臨テ佛礼　團一ノ廿五オ

法鏡禅師㕝　國平ノ廿三オ

法与比丘生ニ兜率天ニ㕝　日八ノ廿五ウ

法花比丘㕝　日四ノ十四オ

星万もる犬の不ゆる　十九ノ十一オ

邉

瓶子に花を立つ　廿ノ三オ

平伏　同六ノ十七ウ

并彼増延法師事　曰二ノ十三オ

并彼道如比丘往生極楽事　曰八ノ十三オ

如執水移異器　曰九ノ廿三オ

釋宗迦園田比盧遮那像事　曰十二ノ一オ

并彼道如写大般若事　曰十ノ廿二オ

へつらいなそ　十九ノ廿三オ

流出女金剛界大曼陀羅戯応事　同九ノ十九ウ

へう　ふつい　十九ノ十八ウ

表書有状　同本ノ九オ

止

とさしかにふれ　家日ノ五十八オ

鳥の子をかさね　十四ノ六オ

鳥乃形成　十九ノ廿二ウ

鳥頭ニ短冊ヲ付タリケレハ鳥の胝忽開テ　同十ノ十五ウ又

とりのさつう　家日ノ一ウ

鳥の子かへる　十二ノ三ウ

鳥羽ノホウヲ書ヒ能ク射之　同十一ノ卌六オ

栂クシノスワウ　同四ノ廿六オ

トガムレバ　玉四ノ卅六ウ

トガムル　日三ノ卅二ウ

やよの諸人　家日四十五　日

滄唐　国下ノ一オ

兜率宿都率　日五ノ十六オ

兜率往生事　日十三ノ四三オ

都率ト云文字スハリタリ　日五ノ四ウ

いさ滴るもの也　十四ノ十二ウ

曇鸞法師事　国十三ノ四十ウ

童神子　国八ノ廿三ウ
東大寺法花僧都吏　日五ノ七ウ
童子教　日四ノ卅一オ
董永身売事　日四ノ卅一ウ
宿直物　日十一ノ廿二ウ
とのゐ申乃声　家日ノ二オ
とのもりつかさ　日ノ日
徳人　国五ノ十九オ
毒ノ雨フリシ　日十二ノ卅八オ

髑髏ノ眼ノ穴ヨリ芒生貫キテ　国十三ノ十オ

とやこもりし鷹　十二ノ廿四ウ

塒や万代まつと　十九ノ七ウ

土岐善忠　国八ノ八オ

ときつかさみほゝゝ赤衾も　家日ノ四十五オ

とれつかさのつゝゝ　日ノ三十オ

とゝ　日ノ二オ

塒ゝ草の花　廿ノ七オ　家日ノ廿一ウ

年あまたなんまゝ小　家日ノ四ウ

年のたし免のかこと　十八ノ一オ

年をへし家のみくれの　十四ノ九ウ

年もかへりゆく　家日ノ一オ

朽のあつきられる鬼　十九ノ五ウ

いとたる孫　十七ノ二オ

知

チハヤ　國一ノ十二ウ

千早振神代　國ノ十三オ

地頭　國下ノ十四ウ

千手の坂　家日ノ廿一ウ　日ノ廿二ウ

ちとせの友　日ノ廿一ウ

ちるをまいと思しん　日ノ二十三オ

茎をまくしろ結つゝ　七ノ八ウ

茅ノ葉ヲ以テ編テチハヤトメ是ヲ着　國一ノ十三ウ

近衛ト云フ猟師アリ　同一ノ卅四オ

ちこのらたまき　十九ノ三オ

千ガヒノ糸　ロクロ引ー　同三ノ卅六ウ

智覚禅師事　同二ノ廿六オ

勅判　家四ノ四十四ウ

勅なれハ　十八ノ二オ

千世鶴丸　同七ノ十四オ

知識ハ華厳ヲ受ス　同十一ノ廿七ウ

珍重　十九ノ一ウ

鎮西ノ探題下テ九州成敗司テ西南鎮ノ兼備ヲ堅ス　同十ノ十六ウ

鎮ノ兵依法花懺法延壽事　同四ノ二オ

陳氏女亡母資苦事　同七ノ廿オ

竹林精舎事　同十二ノ十五ウ

長和五年夏一天炎旱涉旬月　同五ノ十三ウ

重陽ノ宴　同一ノ廿六ウ

竹泉　廿ノ十一オ

竹生島管絃事　同十三ノ卅四ウ

長水ハ楞嚴ヲ誦シ　同十一ノ卅七ウ

長者ノ女ノ歌ニ鼓ヲ取テ歌テ云ク　國十ノ五オ
長明にわれしこふなりて社のまへにひもせとこそあかく待る　家門ノ卅三ウ
ちやうしんのしらノ　十九ノ二六オ
式台堂　國四ノ卅三オ
張元壽為母親造阿弥陀像感応事　國十ノ卅ウ
張元通造文殊形像事　國六ノ一ウ
茶屋床子ニ腰掛テ　日三ノ廿オ
長明ト國助トカ明月ノ歌事　國五ノ廿八ウ
定生沙汰事　日二ノ廿一オ

ちまきゝ馬　十九ノ十二オ

角黍　國十ノ十四ウ

粽　同ノ同

持佛堂　同ノ八ノ廿三ウ　同十二ノ廿二オ

智興内供ト云貴人　同九ノ十二オ

地蔵講廻毎月廿四日　同巻ノ三ウ

地蔵講　同九ノ廿七オ

地蔵菩薩逼去為女人尋其母生処救苦吏　同巻ノ一オ

契ヲテシ　同二ノ十九オ

中将姫　同ノ十一ノ卅四オ

中納言長谷雄卿事　同ノ十三オ

中門ニ出テ見　同七ノ卅一ウ

中印度内小國講光明經攘疫難支　同ノ八ノ廿ウ

利

鯉放沙門事　国十二ノ廿八ウ

離婆多尊者事　日十一ノ十六ウ

離越尊者事　日三ノ廿四オ

輪宝鐔ノ大刀鳧メ尻ニ帯　日四ノ廿三オ

りんしの祭　家日ノ三オ

臨池勢如浮雲　国十二ノ十五ウ

臨済　国十一ノ丗七オ

龍燈　日六ノ三ウ

龍樹大士術法昔ノ事　國二ノ廿八オ

隆辨大僧正諏訪明神示夢想事　同七ノ卅七ウ

流泉の琵琶の音　十六ノ九ウ

龍龍ニ近つき　家目ノ四オ

流依　十九ノ一ウ

両宮ニ千日参籠　國八ノ七ウ

両六波羅　同十ノ十七オ

領家　同五ノ卅四オ

領家ノ代　同ノ卅四ウ

良勝トハ寺山ノ地主ヲ申ト社家ニテ候　國十ノ八ウ

涼州徐由為亡親画観自在像得利　同八ノ三ウ

益事

両部ヲ兼　國ノ三ノ八オ

良正上人　同十二ノ十五オ

竜興寺鑑真和尚日本渡弘戒律　國七ノ十三ウ

なきいまれるといはし　家日ノ廿四オ

力者ともあそびもよしにはしりちゝる　同ノ五十四ウ

力者　家日ノ六オ

利錢ト云テ人ニ借シケレハ

周十ノ字ラ

奴

塗ラワホノ細長ナル　同四ノ廿六オ

ヌルミ廿メテ　同九ノ十四オ

布ノ衣　同四ノ六ウ

ヌク皆重ナル妻　同一ノ五十ウ

奴名しいふ号　十二ノ十一ウ

奴きたり機　十九ノ八オ

留

莒萱ハ莒萱也

国千ノ七才

遠

をとゝしろし　十九ノ一ウ

男山に参り歌を奉ル姫ニ遇幸事　同九ノ卅才

をりをへ　十二ノ十三才

をりたく柴の夕烟　家日ノ四十九才

菅城寺教月房法橋ノ事　同上ノ三才

女のうるよをゝたく杉ノ船と遠称小笠付を世話　家日ノ十四才

温州司馬ノ穆生ノ事　同十ノ十九才

温野ニ供花天人喜前生功徳　同上ノ十七才

園城寺明尊僧正　同九ノ廿二才

女事　廿ノ十五ウ

小野篁事　同四ノ廿才

小野広沢流派　同六ノ卅五才

小野小野盛衰事　同十二ノ八才

小野篁建立ノ八坂塔ユカミタルヲハ浄蔵上人子

縁ノ上ニ居ナカラ祈ル　同六ノ十一ウ

小野の浅茅　（四ノ二六才　六ノ十一ウ　十三ノ九才
六ノ十四才　十三ノ六ウ

小野小町トイフ美女　同十二ノ八才

小野大菩薩影向ノ支　園七ノ廿三ウ

女郎摩野風　日一ノ卅四オ

をし伝の床　五ノ七ウ

小鹿ノ角ノ揃ノ間も　園四ノ廿三ウ

追つけて　十九ノ十九オ

尾もたゝき山の丸よ　十九ノ十五ウ

和

和云　國三ノ二ウ

和長者　同一ノ廿四オ

こゝろ鏡市に出　五ノ二オ

和漢連句　十九ノ廿三オ

若殿原　國三ノ廿三オ

和歌の浦に玉を拾ふ　十四ノ五ウ

和歌者道　家四ノ八オ

つらきこゝろさ毎　同ノ十五ウ

我庭ハ陳君竹の根をさしそゝ　十九ノ三オ
和歌合　家日ノ九オ
渡し舟　ハノ十ウ　十七ノ十八ウ
ワすれら和　十四ノ三オ
こしれかふる　十九ノ十五オ
和俗　国十一ノ卅一オ
ワナヽキクルヒテ　同四ノ三オ
童戯ニ地ニ安ト云ヿ　同八ノ卅二ウ
王会戯嘉 意本――　同十二ノ卅八オ

王皇子帝事　国一ノ十ウ
往生要集撰集ノ三巻トシ　四下ノ五オ
和光同塵　四ノ四オ
和君　四ノ廿三オ
和氏連城璧事　四ノ七オ
和州生馬高助信長光蒙遷利生事　四下ノ廿九オ
和州藤井安基蘇生ノ事　四上ノ廿三オ
和州片岡賀者往生ノ事　四上ノ廿三オ
忘憂草　十ノ三ウ

ワそれ水

(三ノ十ラ
十ノ十ラ

加

くいつり　家四ノ十二オ

かいちん　日ノ一ウ

開眼　日ノ九オ　日四ノ八オ

骸骨ノ有ケルヲ天人下テ微妙ノ花ヲ供　国十ノ十七オ

戒日大王施行支　国四ノ五オ

くいなり鳴　ハノ九ウ

蝸蛞ハ鼠ニモ跳ス　国一ノ卅八オ

河のよとミ　三ノ一ウ

かまろ也ち迄ゆく　家日ノ三ウ
河内国住大夫ト云フ長者　国二ノ二オ
二つなゆく蓋　六ノ八ウ
返引出物　国十ノ廿五オ
かへるさなく　十九ノ二ウ
壁の鼠の穴　八ノ九ウ
門臥ト申乞食　国九ノ廿四ウ
搬ト云鳥ヲ飼ケルカ此珠ヲ取テ食ヒ　四ノ十四ウ
門出テ悦　四ノ十四ウ

門文　十四ノ廿二オ
かさり　衣之　一ノ二オ
行宮　十七ノ三ウ
假屋　同十ノ七ウ　同
假屋を構へ　同十一ノ廿八ウ
雁倶　同二ノ廿七ウ、
こり場　六ノ十三ウ
伽儀李信氏　十九ノ廿七オ
かくれ里　家日ノ三オ

こつ美草　五ノ五オ

かゝまる海老　十九ノ十四ウ

鏡を月に出し　廿ノ四ウ

鏡を鋳　国一ノ十二ウ

帷　同ノ廿七ウ

片数床　国四ノ廿五ウ

かたよりて枝たる　眉なとし　十ノ七オ

かゝさくらなさなとわするゝへ　家同ノ三ウ

片輪　国五ノ廿六オ

歌道数寄ノ説　国六ノ卅八オ
伊頭ヨリ打破ラレ　同ノ卅四オ
このさて　一ノ十四オ
謌道住　国一ノ四九オ
かこもまた月　十九ノ四オ
こゝこ山寺乃法師　家四ノ四十五ウ
片句連謌　十九ノ廿九ウ
片端おこし遊はる車—　十九ノ十八オ
調摩目 無力　国四ノ廿六オ

桂男ノ影　国十ノ廿ウ

金ケタヽキテ南無阿弥陀仏ト唱フルニ　日三ノオ

これらそ　十七ノ廿ウ

金槌梭テ鳥頭ニ中　国九ノ十四ウ

唐鏡　日本ノ十四オ

唐笠杉　日四ノ十七ウ

唐戸ヲ押開テ　日十二ノ廿一ウ

菅三品文時卿往生ノ事　日ノ　五ウ

干将莫耶剣事　日五ノ十九オ

漢朝佛法渡始事　　同九ノ七才

看病者　　同三ノ廿七才

韓昌黎ガ文　　同八ノ廿ア才

鑒真ハ七日夕リト云トモ律ノ三大部ヲハ手自ラ印板開ヵクマヘリ　　同七ノ十六才

冥々林下睡鬼責道去羅漢ゴウ　　同ノ十一ノ十七才

漢唐ノ七補ハ適ル營薦也　　同十ノ廿才

神主葬礼儀式　　同平廿八ウ

鑒真和尚遂授戒具足ヲ用意メ身ヲ棄給　　同七十三ウ

勘当　　同四ノ十二才

鑒真和尚　閏七ノ十三オ　同ウ

香染袖を好しけり　同冬ノ廿オ

幸楠丸ト云小児　同八ノ十オ

高大夫公嬌変　同八ノ廿ウ

かしきりましれる　家同ノ一ウ

陽子　十九ノ十三オ

幸君丸ト申小童　閏十二ノ廿三オ

焼「香散」花　同一ノ十八オ

夏禹王車　同七ノ十オ

糶賣　同四ノ卅ウ

庚申連歌　（廿ノ十一才　五八ウ　十二ノ十六才
十七ノ十五ウ　十七ノ十二才

庚申百韻連歌　（一ノ二ウ　一ノ五才
一ノ十二才　一ノ十七ウ

彼岸ニコキハナレタルアマ小舟　同九ノ十二才

牧多聞連テ　同三ノ卅二才

角桑好事　同十ノ十三才口

蘇屋姫　同十二ノ四才

角桑　同十ノ十四ウ

覚寛僧正竹生嶋利生叓　同十ノ廿才

覚寛僧正　周十ノ廿オ

覚然上人　月六ノ卅六オ

覚阿上人　月十一ノ卅七オ

萱サスリカレ〳〵ニコソナリニケレ　月十一ノ廿三オ

カマビスシ　月三ノ卅二オ

かけらるゝ筍云々　十四ノ十オ

かきを樋　十九ノ十三ウ　月十一ノ十三オ

かけて　十九ノ十九オ

かふとのをのひもぬけ　家口ノ二ウ

カブラ矢　園四ノ廿八ウ

カコタレテ　四ノ廿五ウ

カコツヘキ方モナシ　四七ノ卅二ウ

笠置解脱上人　（四十二ノ卅一ウ　四四十一ウ
四七ノ十五オ

かさ縫き方小雨のあしらひしれぬをそしとを思ふ哉　家四ノ五十ウ

かさゝきのわたせる橋　家四ノ廿九オ

うき　十九ノ十六オ

カキ消様ニ失　園四七オ

かきもさぬほし　家四九ウ

掻髪男　カミヌキノ男　国一ノ四十五ウ

紙衣

紙衾

神方使吏

神方つる卯月のいミ

神のミむろ

上総国極楽寺郷居住高階氏夢想之吏　国八ノ十オ

かミをよ見しもをかミれ　松ふせられんとて一巻

をいつへしとて上を讀上遍ハ下ハことしくらふてかれ　家口ノ卅六オ

迦膩色王佛去リ問事　同五ノ卅一オ
鹿島氏　同八ノ七ウ
賀ノ羽澄人依大般若助命生事　同六ノ廿八ウ
勝手ノ后妃事　同十ノ四ウ
カシツク　同四ノ十四ウ
かしかまち　十七ノ廿ウ
賢タル智恵　國一ノ五十ウ
かゝものあし　七ノ八オ
カモメ尾　國四ノ廿六オ

枴杖ニスカリ　同七ノ廿四オ

風廻クシテ盃ノムカヘベクモナケレハ　同九ノ十八オ

椢杖　カセツヱ　同廿六ノ六オ

春日大明神利生方便奇瑞度　同十ノ卅七ウ

霞峯雲嶽ニアリシテ　同ノ六ノ卅八ウ

かざすまへ　家同ノ一オ

世

世一ノ俗　国九ノ廿二オ

よろひ　鎧　三ノ一ウ

其のよろつ　家四ノ八オ　四ノ五十四オ

よと車　十九ノ十オ

頼政可懐月連歌　十二ノ十二オ

夜鶴子ヲ思フヤミニカキクモリ　国五十七ウ

よゝ乃松とゝ　家四ノ三ウ

よゝ數の四季まし　四ノ五十七ウ

世渡ルカニ油賣ヘ　圓一ノ卅七オ

四乃備者ヲ　九ノ七オ

四辻アリケル所　圓三ノ十五オ

庭ヲ　旧四ノ廿六ウ

雍州季趙行為亡ハ又逢勢至菩薩支　圓十ノ卅八ウ

世乃帰政　家四ノ六ウ

歌ハ其の本身ヲ失フ源　圓二ノ廿九オ

浴室ヲ立テ一ノ十日ノ湯ノ施行ヲ始メ　旧ノ廿三ウ

横笛の音遠ニ関　旧十二ノ廿二ウ

横尾ト云物ニテ胸ニカヽリシ　国七ノ一オ

よこ神　十九ノ十八オ

横佩右大臣豊成公御娘中将姫　国十一ノ卅四オ

よこ時雨　六ノ四オ

よこくも　家四ノ廿オ

よしもと見る女房　四ノ卅七オ

世捨タル人　国四ノ卅四オ

世捨ラレタル道心　四ノ四

よすてゝ　家四ノ八オ　四十一ウ

多メ

大門右二王　國子ノ卅五オ

大塔廓　同三ノ十一オ

大名気ナル座作リノ體也　同十一ノ十オ

當麻曼陀羅　同十ノ廿四オ　同ウ

大興善寺沙弥念胎蔵界曼陀羅　同九ノ廿三ウ

大施太子到龍宮乞如意珠事　同九ノ十ウ

大蛇身ト成テ無主池ナレハ寺ノ櫻池ニ入テゾ住　同十一ノ廿八オ

大毒蛇其ノ形牛ノ如ナルカ背黒キ鱗ヲ連ネ項ニハ白角ヲ戴ヘ　國十二ノ廿七オ

大小神祇影向訪　閑四ノ二ウ

代始徳回寺妙運事　同十ノ廿三オ

大徳人　同六ノ廿八ウ

依大般若書写功徳穫生事　同六ノ罕オ

大聖文殊舎貧女変化事　同五ノ十二ウ

當麻曼陀羅事　同十一ノ卅三オ

大藏渕ト云盗人事　同三ノ廿五オ

大神宮ト申ハ高天ノ原ヨリ天下リ玉フテ　同十一ノ罕オ

大明漢守郎　同一ノ一オ

大福神　国四ノ十八ウ

太山府君旧譯仁王經誉事　日七ノ二才

大食羅漢事　日五ノ廿二ノ

大宋国良尺筆跡　日十ノ卅ウ

大乗經妙ナル文字ヲ鐃ニ唱ヘタルニ結縁　日八ノ廿九才

大もん　家四ノ二才

タバイ　国日ノ廿七才

丹波国俗人道心事　日十ノ卅五ウ

たとしへなく　家日ノ三才

たとしゝく　家四ノ四十一ウ
たちふし月　四ノ五十七ウ
橘櫻　左右ニ　三ノ四ウ
橋袋　同三ノ廿八オ
たちゝく　家四ノ三オ
達磨ハ楞伽ヲ学ヒ　同十一ノ卅七ウ
達磨大師飢人貌現　四一ノ九オ
達磨流支造釈迦慈氏二像曰縁変　四十一ノ十ウ
たるこえり　家四ノ一ウ

せきかんれ　十九ノ三オ
高楚山ニ被下小野御訪アリ　国十五ノ十オ
高野大師御入定　国二ノ四ウ
高光少将遁世往生事　同十ノ卅三ウ
高倉　同一ノ七ウ
直冬東寺落書事　同二ノ九ウ
たかさのうら　十九ノ廿オ
たかまかはら　家口ノ六オ
たかまきまくうちあかれ　同ノ二オ

田中十九ヽ城　園十二ノ廿一ウ

陀羅尼自在菩薩地獄説法之事　同十二ノ廿八ウ

手洗　十九ノ十四オ

たらち袮の父　十八ノ六オ

探題　（園十ノ十六ウ　同ノ十八オ）　同ノ十七オ

断食功徳ノ事　同十二ノ五ウ

端午祭礼　同十ノ十三ウ

たんき　十六ノ十四オ

唐恵心法華経ヲ読事　園五ノ廿一オ

唐國王戒品ヵ功徳ヲ問事　國五ノ廿五ウ

南唐乃折らしき事　家四ノ九ウ

唐太宗文皇帝事　國十一ノ二オ

唐張安返書写華厳経延寿事　同五ノ廿八オ

唐洞東自冥途還事　同四ノ十オ

唐朝散大夫孫宣徳事　同十ノ廿八オ

唐法駕寺法安画滅悪趣菩薩像事　同十一ノ卅五ウ

唐筆顔　同六ノ六ウ

同うちのころ　十八ノ一オ

唐倫通カ事　同六ノ卅一オ
桃花宴　同二ノ廿二ウ
当山ハ昔七千坊ノ所　同十一ノ八ウ
照蔵灌頂　同三ノ六オ
道吟法師事　同二ノ卅オ
道珍禅師読誦阿弥陀経往生之事　同七ノ廿六オ
唐鄧侍郎蘇生事　同五ノ六オ
道超禅師之弟子生所示太山府君事　同ノ十五ウ
タクハヘ　同四ノ四オ

玉かゝみとみかゝれける　家门五十八ウ

玉御垣　国四ノ三十才

玉緒子　旧ノ卅四ウ

玉チリテ飛ヤ蛍カゲ　旧一ノ四十九才

玉敷渚　十八ノ四十才

玉箒　国六ノ四十四ウ

玉ぬきを柳　ア十一ウ

玉章の文字をかく小蜘蛛　十七ノ廿四才

玉章をとらへ狭きと出　十ノ五十才

竹笠　八ノ七オ
竹乃久け樋　十四ノ七オ
竹のむしろ　十二ノ八ウ
たけかり　葬物カ　廿ノ十ウ
作竹筒　同十二ノ四オ
塔婆功徳変　同廿二ノ廿五オ
立符タル文ニ一通　同ノ八オ
立文一通　同二ノ卅四ウ
たてなつき　十九ノ七ウ

立籠る　國二ノ九ウ
たきゝ口の間料　家四ノ二オ
まきゝもの会を　十二ノ三オ
薪の稼りそ　十三ノ六ウ
タメライケル　國三ノ卅六オ
タメラフ事ナク　四ノ卅七オ
民のしわざ　十八ノ七オ
田代　國六ノ七ウ
旅の情と　十七ノ卅五ウ

旅の文

礼

霊神ハ感応有歌道ニ　國十ノ十一ウ又
霊水ヨリ日本ヘ渡サントス　同七ノ廿七ウ
列拜　家同ノ五ウ
連心トハ蓮ノ糸ナルヘシ　國十二ノ卅四オ
連心房　同十二ノ卅三ウ
連歌初　十九ノ廿七オ
連歌ハ　同ノ廿二オ
連句連歌　同ノ廿三オ

曽

そ不ふ些ハ　家四ノ二ウ

卒都婆ノ功徳ヲ佛尓婆利長者事　同三ノ卅二オ

卒都婆　同一ノ卅四ウ

卒都婆利益事　同三ノ十八ウ

蘇我蝦夷大臣ト云人　同五ノ卅四オ

空ニツリタル灌頂ト云物　同三ノ二十オ

ソ〳〵〳〵　十九ノ十九ウ

空ヲツロニク　同三ノ卅三オ

孫陽得駿馬叓　同七ノ十五ウ

僧護比丘叓　同三ノ十一ウ

僧賀上人　同十ノ廿七オ

宗廟社稷　同十二ノ四オ

僧行圓白山頭先拝叓　同四ノ二ウ

僧正行乗諸國修行　三ノ十オ

僧賀上人発心叓　同十ノ卅四オ

僧都　同四ノ七ウ

宗韓憑妻叓　同一ノ四十八ウ

楚屋原変　同十ノ十三オ
職傳比丘変　同九ノ十四ウ
喜撰山　十九ノ六ウ
喜撰の篠　十四ノ六オ
袖のこれしと　同ノ一ウ
袖乃くもゐちる　十二ノ十一ウ
袖のひちかさ　十四ノ十オ
そこかくし　十三ノ十一ウ
聳き　同二ノ十九オ

踈石改字夢窓　周四ノ九オ

津

津をふかぬく　十三ノ十五ウ

ツホクサリ　同四十五ウ

津国のうち　十九ノ廿四ウ

ツボ　壺　同四ノ廿五ウ

清ら見　たのもしい　後のの世のさ見　十七ノ廿五オ

鶴たまく人　十八ノ七オ

鶴汁のさかな　十九ノ五オ

鶴脛　同四ノ廿七オ

鶴の林　廿八ノ二オ

蔦紅葉　五ノ五ウ

つゝる　つゝき　亦綴り　十七ノ十一ウ

ツタナキ　園四ノ四オ

経基 袷宣　同十二ノ四オ

網衣 片袖　同六ノ九オ

恒西岸お　同十ノ廿四オ

つれ行　十九ノ七ウ

つなて繩　十四ノ三オ

つゑ杖　十二ノ廿オ

つゝれ　家四ノ二ウ

摂津国尼公詣八幡散位宗疑事　国六ノ四二ウ

はくしらね　十七ノ十七オ

はくもかく　九ノ四オ

ツクナウ　国二ノ十六ウ　日三ノ卅六オ

ツクツクノト　日四ノ卅四オ

ツクナウ　日三ノ十二オ

土筆　十八ノ四ウ

作泉　廿十ウ

菟玖波之道　序二ウ　カナ序ノ六ウ

菟玖波集可被准勅撰　廿ノ十七オ

ツヤく　同三ノ卅六ウ

津乃末乃一奉　十三ノ十五ウ

爪クリテ　同四廿五オ

爪木乃阿闍梨　十二ノ四ウ

津乃阿かきあふき　五ノ三ウ

妻籠　同一ノ十四オ

妻ノ志支　四十一ノ廿三オ

月乃あし　十九ノ三ウ

月落　十ノ三ウ

月次乃連歌　二ノ十一ウ　三ノ三ウ十五ノ一オ
十二ノ十七ウ廿ノ十一ウ

はきしろひて　家四ノ一ウ

はむ月のたえ　十ノ四ウ

月夜かしきて　五ノ四オ

月待　國一ノ一ウ

月ノ名ニ立こ　四五ノ廿五オ

月六齋　四十二ノ五ウ

霧の帯ところし　十七ノ廿三オ

露ふく蕎麦野道の秋風　家四ノ廿九才
露湿女郎花山風吟鹿鳴草　國八ノ卌五才
涙拭ひもとい　家四ノ二ウ
枕頭地蔵堂　國五ノ六才
涙為のうへ　家四ノ三十才
枕硯ニ書テ即チ生附テ掠ノ木トナル　國七ノ廿四才
枕して老忠力　十九ノ十五才

祢

涅槃経　園十ノ卅五オ

祢てミまふ　十三ノ六ウ

祢りまふ 舞　九ノ六ウ、

熱鉄丸　園九ノ三ウ

祢ん比く　家日ノ三ウ

念佛三昧行綿ナリシヲ空也上人ノ御勧ミア　園六ア 卅二ウ

年中行事のさうし　十九ノ十八オ

念珠高クモミて　園六ノ十オ

念佛ノ道場　周十ノ卅五オ

袮ゝり　十九ノ九ウ

舐ル　周一ノ卅三ウ

袮ふり乃木　十三ノ十五ウ

根こし　移ノ物之く　一ノ五ウ

嵐閣律蔵印徳支　周廿ノ七ウ

冬

肉陣十五竹　同二ノ三ウ

縄手縄　十七ノ十四ウ　十七ノ廿四才

縄をむすびしまつりこそ　十三ノ十ウ

縄床　同二ノ卅五ウ

ナニカシレト申　同四ノ廿八ウ

直衣　十九ノ十七ウ

なりをとこそ免もく　家日ノ二才

七日ごと齋備　同九ノ十ウ

中つき　家日ノ四十五ウ

中島　園八ノ卅四オ

明かゝる水かなく蛙　二ノ十ウ

なかゝ思ふうちしらく　家日ノ五十四ウ

長門探題　園十ノ十七オ

ナタマリ　日三ノ三十ウ

なかゝ孫まゝのり　十九ノ十五ウ

夜の真衣　日ノ十七ウ

七の御孫　十八ノ二十オ

七ツある神の御社　十九ノ十一ウ
なゝ兎形る琴柱　十二ノ廿ウ
七補麻須氣薦　国十ノ七ウ
奈良ニ松室ト云僧アリ　同十二ノ卅五オ
奈良御門　同四ノ六オ
南印度小国造不空羂索像奉　同十二ノ廿四ウ
南無源信如来ト唱テ三度伏拝ス　同ノ五ウ
南朝　国四ノ九オ
南都律宗　同七ノ十五ウ

難陀尊者 発心集　國八ノ十六オ

南雲傳　同七ノ一オ

南都守敏　同三ノ七ウ

名ノ約束ヲ成　同六ノ八オ

鯰尾　同四ノ廿四オ

なまこゝちれくて　家四ノ五十二オ

なるゝもてん若の君不　同ノ卅三ウ

撫子ノ花盛ヲ　國二ノ卅九ウ

なつきをも方のかゝりうれしくみん　家四ノ一オ

なかれゆくいはしみつ(?)　家月ノ二オ
流不動　同九ノ十四オ
洞乃袖ちらされと船(?)　九ノ五オ
洞中之明ヒケル(?)　同一ノ五十オ(?)
梨本　十八ノ二ウ
梨花之暁(?)　十九ノ十四オ
梨壺　十六ノ九ウ(?)

良

礼堂　国十ノ廿九ウ

羅漢果得其足跡以前後之往道事　日六ノ卅七オ

らんせん既と仰たり　家四ノ七オ

ラウ蘭テナヨラカ　国十五ノ卅一ウ

老尼死後橋出ト成事　日三ノ卅七ウ

老子ト云人ハ摩訶迦葉ノ化身ナリ　日十三ノ卅五オ

老子事　日十三ノ卅五オ

老婆現身轉優婆夷ト成事　日十ノ十オ　又

落書　同二ノ九ウ

羅形上人　同一ノ卅五オ

羅什ニ鹿支　同六ノ四三ウ

武

むし

十九ノ十七オ

無智比丘受耨陀羅供養事

同三ノ廿オ

無量義經弘傳事

同十一ノ一ウ

無量義經功德事

同十二ノ七ウ

若發瞋恚比丘成毒龍事

同三ノ十二オ

向歯

同四ノ廿五ウ

若尊者於父母故宅地造精舎事

同五ノ廿二ウ

若蓮花女今得羅漢果後勸出家緣事

同七ノ十九オ

昔長者子壽延之　國八ノ六オ

夢窓國師因窮の後逢頭　廿ノ六オ

夢窓國師　十九ノ十八ウ

夢窓國師之　國四ノ八ウ

無足者ト云者　日十ノ廿三ウ

胸ハ板出ルカ如シ　日八ノ卅一ウ

胸サハキテ　日一ノ廿八ウ

む祢のさわき　十九ノ十二ウ

旨をあるそれ　家日ノ十二ウ

胸撫テ云　園八ノ卅一ウ
紫ノ御衣　同ノ九オ
むさらふおわしえいらく　家四ノ六十三オ
杖鏑　十六ノ八オ
紫ノ小袖　園一ノ廿七ウ
標木　同十ノ廿四オ
馬乃四足　十九ノ十三ウ
むま屋乃ちく　十七ノ十二オ
馬の尾乃たらほ云く　十四ノ廿ウ

麻戸　団一ノ六ウ

むさゝひ草　五ノ三オ

梅の雨　廿ノ九ウ

む免わ　十九ノ廿二オ

梅乃むらち　廿ノ十三オ

ムシリテ　団四ノ廿七ウ

むしりまつる　十九ノ五オ

ムセビ集ル、　団九ノ廿七オ

むさぼるも嫌し　続四ノ四十九オ

宇

うもれくのうらや　十九ノ二オ
うい捻く　十九ノ十二ウ
山蟒　うハバミ　圓六ノ卅五オ
ウハノツラナル月　旧九ノ廿九ウ
上山天神御影向處　旧十三ノ廿三オ
うゐをふし　家旧　二オ
務と静　十九ノ十三オ
氏神　圓下七ウ

うちあるへき室町の様ハ　家門十五ウ
おほきく芝の根ふ畑　同ノ卅九オ
うちみたれ髪　十二ノ十一オ
氏子ヲ守ル　七ノ六ウ
うちまきさ　十九ノ廿三オ
うち侘声　家門ノ二オ
お食物　同四ノ七オ
うそふく　十九ノ十四オ
ウカレ妻　同五ノ廿七オ

宇かゞ神王　国ア十八オ

特飼亀ヲ欲害セントスルヲ高房買取之　日七ノ廿六オ

歌うた　家日ノ九ウ

歌の道　日ノ三十ウ

歌合　日ノ九オ

歌ヲ讀テ法楽　国本ノ廿八オ

哥のこゝろ　家日ノ十二ウ

うはらの花の枝さし　一ノ十四オ

うはしゝふ　家日ノ子十八オ

鶉乃床中乃都　十七ノ四才
ウツブセテ　国八ノ廿一ウ
ウツフシサマニ顛レテ　同九ノ廿八ウ
う流を見　十四ノ一才
うつをゝ　十九ノ廿二ウ
ウツホ　国四ノ廿六才
うれみこといふ鳥　十二ノ十一才
佢《ウナシ》居タリ　国三ノ十四才
浦やゝし　十七ノ十一才

褁無ツハキ　園十二ノ廿一ウ

雲門　同十一ノ卅五オ

ウヽヒクメト云ケル也　同八ノ卅三オ

うの花もなき　縄の糸　三ノ一ウ

ウノマネノカラス　園四ノ卅二ウ

鶯の籠　十二ノ三ウ

鶯の子かひ　十九ノ一ウ

むかや　十九ノ十六ウ

うききしの縁　十七ノ十一ウ　十七ノ十あり

浮世ノ夢ヲ覚　国四ノ卅四ウ

うき　十九ノ四オ

海の月　クラゲヲ云　十二ノ十三ウ

海山のけしき久しかれ　十八ノ四ウ

うしミつ　時刻分　十ノ十ウ

有心無心の連歌　九ノ六ウ

丑ミつれとそうまされい　家日ノ二オ

薄墨染ノ衣著タルヘル僧　国十ノ四オ

薄手負　日四ノ廿六ウ

章

居居少声ニ呼求　同四ノ廿六ウ

居直　同四ノ四オ

居眠　同一ノ八ウ

居眠ヲ除ク計リ　同一ノ四十六オ

院司花人　家同ノ五ウ

院乃殿上　同ノ五ウ

院分乃国　同ノ四十オ

井口守護神　同六ノ七ウ

偽仰

井モリノシルシ

國十ノ卅七オ

同一ノ五十オ

農

登廊　　国三ノ十七オ

野辺ノ野送り　　四十二ノ九ウ

後乃世のため　　十七ノ廿五オ

法の水　　家四ノ五十一ウ

法乃水波　　四ノ四十九オ

血《ノリ》ヲ孕ネテ　　国一ノ廿四オ

那由多及ゝ　　十七ノ廿一ウ

喉音ニ感テツ語りケル　　国四ノ廿七ウ

能書ノ人

のこす山陰

新語屋つる

新語乃なやむ

雅号

閏三ノ四オ

十二ノ十八オ

十四ノ六ウ

廿ノ九オ

七ノ八ウ

於く

老かゝまり　家同ノ五才

老の波　同ノ廿二ウ　同廿才

老の坂　同ノ三十ウ

御いのりのひすかさ　同ノ九ウ

老楽　同ノ廿三才　同廿二才

老北ろれとゝ也　十九ノ廿ウ

おひかけ　冠ニ 笠纓ニ小ちき成物也　十七ノ十二才

男をむこ孫　十九ノ十二ウ

思味噌　團二ノ十ウ

おわいまねなゝしして法書　家四ノ五十四ウ

大雁俣　團四ノ廿六オ

大江定基　四十一ノ廿九オ

大口腰ツキラウ闌テナヨラカ　四十五ノ廿一ウ

大長刀　十九ノ十九ウ

大記帯　十九ノ廿一ウ

おま床　家四ノ十二ウ

大江景宗讀意歎支　團三ノ十七オ

大数口辻　園三ノ十七オ

大者勤仕　日五ノ十八オ

相とれ免く人ニ　家日ノ二オ

相このもり　日ノ八オ

顧りり　園日ノ廿五ウ

相と語ふしく婦と相ふし　家日ノ廿六オ

薦推　五ノ十ウ

相ちいふしき　家日ノ十一ウ

御主ノ恩　園十二ノ廿五オ

オヅく教ノ如ク申ス　国四ノ十二ウ

御むつかり　家四ノ十四オ

御えんりよこゝろひきし免させ給ふ　日ノ五ウ

御いはり考へる卜　家四ノ十オ

飲酒戒　国五ノ廿四ウ

恩愛ノキツナヲ切　日四ノ三ウ

隠身術ヲ習テ婬愛ノ境ヲ求ム　日二ノ廿八ウ

御清水　家四ノ十オ

御經のかねの蓋　国八ノ廿七ウ

御きそく　家ロノ四ウ

御無理過チムモ気儘ク　国三ノ卅六オ

御花カラヲ自身取食物ニメ食ト御アル　日ノ二ア九オ

応後禅師　国四ノ三オ

己カ様ヽヽ行ケル　マキレヽ　日四ノ七オ

奥院の堂　日四ノ卅七オ

松石それ乃身の保と　家ロノ三ウ

瘂女石山寺ニ詣テ物イフ支　国五ノ廿五ウ

瘧り心地　日九ノ十四オ

沖中にかましき船　十七ノ十四ウ

面ヲムクベクモ覚ザリケレバ　圓四ノ卅六オ

面ヲムカヘ、クモナレハ　同九ノ十八オ

面ノ皺如夕浪　同九ノ十五ウ

おものまいる　家四ノ二ウ

おもひしを　同ノ卅七オ

おもおもしく　同ノ五十七ウ

久

黒偲安撰吏　國五ノ卅才

黒賊物連額　十九ノ廿一才

黒男とい小笛吹　十九ノ三十才

クワダツル　國三ノ卅二才　同ウ

口説クレ氏　口四ノ卅六才

口たゝき　十九ノ十才　十九ノ十八ウ

朽木観音吏　國七ノ廿六才

く地ゆちを〳〵きつふ　家口ノ三十才

口すさミ　家四ノ七ウ

口ヲムシリテ言ヲ好ム　團四ノ廿七ウ

口の　同三ノ卅四ウ

クチナミノ　同五ノ廿五ウ

口にまかせてくさしをかし　家四ノ卅九オ

栗木　丁東　團三ノ廿九オ

車をつくるおもくに　十四ノ十一ウ

車やる者にはあるく　十八ノ二オ

サク落ス　萱葉実汁　團十ノ六オ

夷蕃ハ福神字　国十ノ七オ

車をかくすよし　十二ノ十三オ

月氏震旦真俗都鄙郷細　国一ノ一オ

裹《畏》頭大衆　日七ノ十三ウ

観音三昧経　日八ノ子オ

火車　日九ノ廿オ

観音利甦変　日七ノ廿六ウ

光明童子彼ニテハ仲尼ト称ス　日十二ノ廿四オ

過頭禅　日十一ノ卅八オ

光明皇后叓　国二ノ卅オ

廻雪衫翩々　同一ノ十二ウ

果報ツタナリ　同九ノ廿七オ

官社　家同ノ廿四ウ

花下連歌　寛元四年三月　二ノ十二ウ　三ノ一オ

月明儒童彼ニテハ龍淵ト号ス　国十二ノ廿五オ

月奏ヲ以テ執　家同ノ十二ウ

過去帳ニ書有縁無縁ヲ訪　国七ノ廿四オ

観音ノ霊地　同七ノ卅三ウ

灌頂率都婆功徳ノ事　同三ノ十九ウ
襲皇憲　同十六オ
灌頂有十二種名　同三ノ廿オ
會稽ノ恥ヲキヨム　同六ノ廿八オ
花屋夜宴　同十ノ五オ
詠ニ花下ニ　序ノ一ウ
觀音ハ十分ニ利生ヲ施シ玉フ　同十一ノ十三オ
觀音事　同十二ノ四十ウ
果報幸ト云フモ心カラ　同十一ノ廿三ウ

帽菴　同八ノ二十オ

観音織婦ト現シ蓮ノ糸ヲ集テ極楽浄土ノ曼荼羅ヲ織顕ス　同十二ノ卅四オ

九曜星ノ圖　同二ノ卅九オ

クタぜし　同三ノ十八ウ　九ノ卅五ウ

クタ物　同九ノ十四オ

これはてつきぬ地　家四ノ四オ

紅ノ袴　同十ノ四オ

くるし　十九ノ六ウ

紅乃筆　十一ノ六オ

岩乃志きゐゐ千多かきくる　六ノ七オ

岩のしきゐ　同ノ同

クツシタリテ　國三ノ十四オ

倶那羅太子事　國七ノ三オ

暗キヨリ暗キ道ニゾ入ヌヘキ　同八ノ廿七オ

花人まち　家同ノ二ウ

花人文　同ノ丁ウ

ゝゝ菊乃骨　十二ノ十三ウ

ゝゝくの破　家同ノ三ウ

空海　　同三ノ三オ

空也上人　　（同六ノ三十一ウ　同一ノ三十八ウ）

空也上人雲林院ニ住玉フ　　同ノ三十五ウ

九月十三夜月楼宿スルニ中テ明月夜也　　同五ノ二十八ウ

鮭乃月の端　　ハツカニ云ヿ　梢ニカナタカヘリ　　十三ノ四ウ

曲モナク尋　　同四ノ卅五オ

同分計リ乞テ食スル也　　同九ノ廿四ウ

九献ニテ飲　　同上ノ廿四オ

草薙剣　国一ノ十四ウ

草庵　日四廿五オ

草偃ハ十補ノ真薦也　日十ノ七オ

草影送嫁カルヘケレト云捨遊ニ無甚成《ハカナリ》　国五ノ十七オ

こケり

草薦漢康穀　日十ノ六オ

草刈　五ノ十オ　十三ノ十五ウ

草薙秋　五ノ十三オ

草の露もおおよりてかりうね　十四ノ二ウ

虞舜即位之　旧七ノ五オ

闘ヲ殺テ相手ヲ定テ興宴ノ順會ヲ營　旧十ノ廿二ウ

雲かくれぬる　十七ノ廿一ウ

雲うつれなり　十ノ十二ウ

雲のよそなるひ　五ノ一オ

雲のたまりぬる月　一ノ八オ

雲ゐのゝ袖の枕　家口ノ卅三ウ

雲のうへ人　十九ノ十八ウ

クモニテモ物ヲ思フ　園三ノ卅六ウ

物勝弥国諍論館執吏

国操人

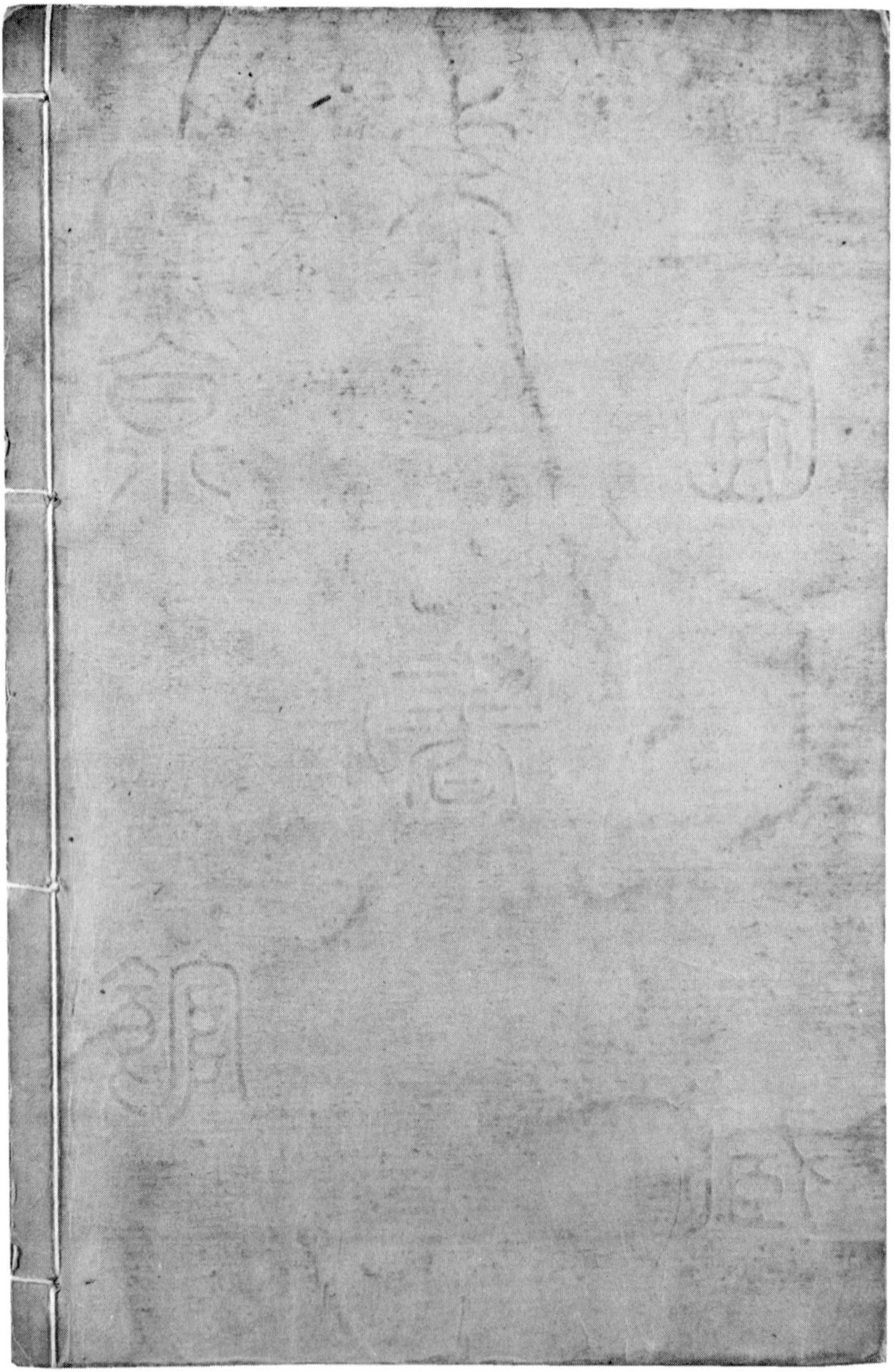

家筑三類語　中

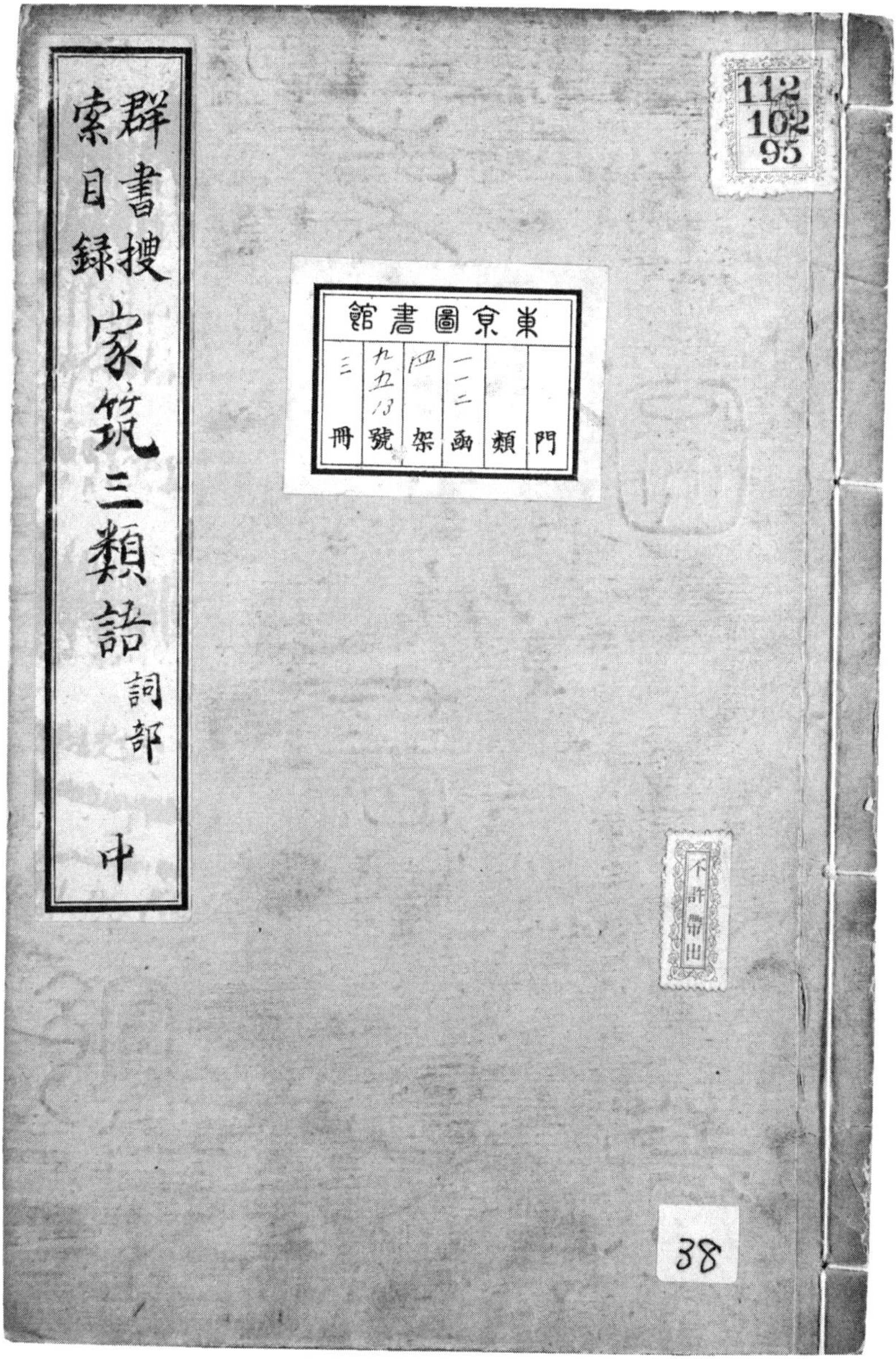
群書捜索目録
家筑三類語
詞部
中
東京圖書館
門
類
一二函
四架
九九13號
三冊
112
102
95
不許帶出
38

家筑三類語

中

也

八百万乃神　家口ノ卅五才

代乃ゝ孫　口ノ卅三才

八重垣　國一ノ十四才

八手龜鈸ハ赤米是赤白ヲ和合セル也　日ノ七才

八千毛櫻飯　國十ノ六才　日ノ七才

屋ノ水　十九ノ七才

屋形口　國十ノ八才　日十ノ八ウ

屋形　口不ノ十九才

為形ロヲハ我コソホトトテ　國十ノ廿七オ

奴原　旧十一ノ九ウ

柳の葉　葉ノ名　十二ノ三ウ

ヤウ　國四ノ三ウ

揚州居士依常住二字也不動國定　國七ノ十三ウ

ヤウヽヽに　國二ノ十ウ

菜ノ葉とる　十三ノ十オ

菜泳寺ノ行基菩　国二ノ十八オ

八雲立出雲　旧一ノ十四オ

造菜湖芳寺像延五十年壽文　同二ノ一オ
山深み木の下流し　鄰娟　二ノ十一オ
山寺と観撰所　十九ノ卅オ
風ふ来車　十九ノ十オ
風乃かをる　十九ノ八ウ
山井乃関　三ノ五オ
山人炭薪之名句　十二ノ四ウ
山寺乃つき　十九ノ十六ウ
山蔭中納言惣持寺建立文　同七ノ廿六ウ

山籠ノ行業　同六ノ廿八ウ

山送リモセス懸ム程ニ　同五ノ廿二オ

山彫し　十一ノ十三オ　十二ノ廿オ

山のをし里　家日ノ五十二ウノ

山のかけち　十七ノ五オ

風まとふみとの石　家日ノ五十七オ

山ふところ　十七ノ十五オ

山臥延好カ立山ニテ妄ニ言傳ル事　同九ノ廿六ウ

山田ノ庵　日四ノ七ウ

山田守信部　園四ノ七ウ
八声ノ鳥　同五ノ廿二ウ
唐子巻車椎の猵　十六ノ十オ
ヤサ叟　園三ノ四オ
弥三郎ト云変化者　同六ノ六ウ
野狐公　同四ノ廿オ
埜心ノ者　同一ノ四四オ
やも[illegible]鳥　十一ノ四オ

麻

毎年渡唐使吾朝輕賤遣異國重寶來所以使船遅　国ノ一オ

中務の子　十三ノ一オ

政所　国三ノ八オ

まり　家口ノ三オ

末利夫人の國交　国二ノ十五ウ

まり打し　家口ノ廿六オ

末利夫人酒ヲ勸メ王瞋リ止メ給フ事　国三ノ廿六オ

まかり籠　家口ノ四オ

まくばる　家四ノ一オ

摩訶提婆要行吏　国三ノ卅二ウ

摩訶提國貧女成后事　同十ノ九オ

まさどぢ　家四ノ十三ウ

マタンキ　国四ノ廿三オ

松むしの松もひ草　冬ノ十三オ

松の稚　十三ノ四ウ

まろりなつと　十八ノ一ウ

松尾童子松尾寺ヲ開山　国六ノ廿ウ

松ト云文字ハ十八公ト書タリ　園十一ノ十三オ

松室ト云僧　日十二ノ卅五オ

松ニカハラヌ身ノ事　日十五ノ十三オ

松尾明神着法華衣事　日六ノ卅三オ

まれひとまうけの事　新日ノ八ウ

満財長者須達長者嫁成事　園一ノ廿三オ

満足尊者　見餓鬼送事　園十二ノ廿六ウ

まん丸　十九ノ十五ウ

まくらノ事　十四ノ十オ

まさ木の綱　十三ノ九オ　四ノ十ウ

二木のかつら　六ノ九オ

清き乃拾ひ詞　十九ノ四ウ

眉なきを　十ノ七オ

まひ人　家日　四ノ三オ

摺鏡　国二ノ卅九ウ

麻蒼《ス》氣《ケ》鷹　四十ノ七ウ

計

鶏人暁唱声　同本ノ廿二ウ

荊州趙文侍為亡親画六観音事　同十ノ卅二ウ

きいひつ　家口ノ一ウ

鶏頭花　十本十三ウ

きいひつ琴　家口六ウ

きいし侍し　口ノ卅九ウ

啓スラク　同一ノ卅二ウ

藝州西条下向僧達児霊事　同十二ノ廿ウ

螢火ハ千萬點夜桃佛送之燈　同四ノ卅七オ

慶摩童子吏　同十ノ十八ウ

けちめ　家同ノ三ウ

けちえん　同ノ二ウ

けをふなきもきを求　同ノ四十五ウ

けさうし　同ノ一ウ

ケダ物　同十二ノ卅一オ

解脱上人　同十二ノ四一ウ

ケダカク由ゝゝ気ニテ　同三ノ十五オ

ケツマヅキ　同三ノ十三ウ

建武三年　家記四ノ卅三ウ

源氏國名の古韻連歌　十三ノ十オ　十六ノ二オ

賢ハかしこきを本とて　十八ノ五ウ

賢ハ友をえらふ　十八ノ八ウ

玄恵法師　同六ノ卅四ウ

原憲與子貢對面事　同四ノ廿九ウ

乾陀衛國富那舍事　同十一ノ廿八オ

遣唐使アリ大神御井ト名ツク　同七ノ廿七ウ

慳貪女事　同十一ノ卅日

建盞　同十二ノ廿二日

源信僧都　同十ノ廿一日

源氏ゝともかゝり巻ゝ名賦物連歌　十二ノ廿三日

玄奘三蔵渡天竺事　閏二ノ卅二日

堅誓師子事　同十ノ廿六日

玄賓僧都遁世事　同四ノ六日

憍薩羅國免疫難事　同七ノ廿五日

教月法橋　同十一ノ三日

孝行㕝　同十ノ九オ

教外別傳　同十ノ卅九オ

憍陳如卑陵迦婆跋蹉冨𧘇異㕝　同四ノ廿九オ

花厳宗　同八ノ十一オ

花厳経㕝　同十ノ廿八オ

くさのうら　家同ノ三十オ

恭子許モ不復立　周三ノ十八オ

下手近ク　同十ノ六十オ

不

風呂よへ　十九ノ二十オ

不意借哉ト云　國十一ノ卅一オ

好と　家四ノ七オ

不動貴謠変　國三ノ廿三ウ

藤麻苔袖三衣　四六ノ九オ

ふりとくかなしふ　家四ノ四十五オ

婦るひ　四ノ一ウ

蜀樓那菊若変　國六ノ七ウ

振舞易カラサル体也　園二ノ六才

ふる人たち　家四ノ十四ウ

古蔵以外売柄　園六ノ二才

深ク沓ヲハイテ　日九ノ十八才

フタメキテ　日二ノ十才

二心なき竹の園　十八ノ二才

不断の御読経　家四ノ九才

二も三もなき御法　十七ノ十八ウ

ふくら　家四ノ二才

二あゐの狩衣　十九ノ十七ウ

二ノ耳振立振明テ　同四ノ七オ

二子　十九ノ十一オ

札ノ片端　同八ノ廿五ウ

二瀬ノ別怨ケリ　同四ノ卅六ウ

二ツナク三ナキ御法　同八ノ廿七ウ

フタメキテ　同九ノ十五ウ

興㆓佛法㆒　同一ノ六オ

佛像　同一ノ五ウ

佛舎利勝利㕝　國十二ノ十八ウ

佛鐵壽生日本ヘ著岸　同四ノ卅三ウ

佛法妲　同一ノ十オ

佛鐵和尚　同四ノ卌三オ

佛入伽毘羅城外道邪ヲ破タマフ㕝　同八ノ十二オ

佛滅後一千一十年時後漢顯宗皇帝永平十四年　同九ノ七オ

嫋なもし　十九ノ廿オ

舩任便　國四ノ四オ　同一ノ七オ

ふしいき　家同ノ四十七オ

文臺　家四ノ廿七オ

文時卿　国十二ノ十二ウ

文屋康秀か参河掾ニテ下りケルニ　四ノ八ウ

風雅集撰せ侍し比　十八ノ二ウ

あく河ふ乃秀　十九ノ八ウ

福城変　国四ノ八オ

服をきく　家四ノ四オ

太丸長者　国四ノ十七オ

武家婿テ立　四十ノ十四ウ

武家奏問　廿ノ十七
武家棟梁　閏十ノ十六オ
冬枯　六ノ四オ
文のもとひゑ　十九ノ五ウ
文乃ちらしかき　十四ノ十一ウ
文乃うつりき　十ノ四オ
婦しまろひ　十九ノ二オ
武将の石川宮首道心変　閏七ノ卅オ
ふしぎ　十九ノ十一オ

ふしまきの弓　十四ノ十一オ
婦しみ　老顔　十九ノ廿二オ
婦せこ　十九ノ十一ウ　九ノ七ウ
フスボリ　園四ノ卅六オ
フスボリタル　同ノ廿六ウ

古

御宝前　　国四ノ三オ　〻

五人撰者　　家日ノ四十五ウ

胡国山中四人修行不思義　　国一ノ卅八オ

詞サシニテ加様ニ云ケレハ　　日四三ウ

ふるとなしゝ　　家日ノ五十八ウ

子供の来　　十四ノ十四ウ

コワ〳〵しカラズ捧ケ参リ又　　国十ノ廿四ウ

とまりもなきこし隈れく侍りし　　家日ノ十三オ

こゝろの花みの玉　十八ノ二ウ

言葉の字毛のかるも奴かと　家日ノ八ウ

御指傳　国二ノ卅八オ

手の折て首の折ヲ頸ニカケテ　日七ノ十七ウ

牛王裏心身血出起請文書　日五ノ十七ウ

後漢揚宝貴雀ヲ飼助ル支　日八ノ十九オ

古の手もくこの帖にる　十九ノ二十ウ

食の色ゟ筆さつく　十九ノ十七オ

五家宗流　国十一ノ卅八オ

五戒　國ノ五ノ廿四オ

粉河観音示縁事　同七ノ二オ

五欲ニホコリ　同八ノ廿九オ

小摩精　家同ノ八ウ

古るへちや侍りそん　同ノ五十七ウ

五大院安然和尚事　同四　三十オ

こもう〱と　十九ノ八ウ

乞食沙門事　國九ノ十六オ

五通并往安樂國ニ請阿弥陀佛一事　同九ノ十五ウ

乞者尼浮單衣奉加清水寺事　日九ノ十五ウ

乞門飯業師浮寓事　日十二ノ五ウ

金色ノ鹿王　日十二ノ廿五オ

権中納言定頼卿の記　八ノ三オ

勤操　國三ノ三オ

金地國王修造古堂壽延ノ事　日九ノ廿オ

勤操一天明匠　日ノ九ノ十ウ

金剛界灌頂　日三ノ六オ

金剛智三蔵和上事　日九ノ廿三オ

金剛般若経の勝分　同九ノ三十七ウ

金色ノ鶴　同一ノ卅四オ

勤操僧正憐栄好遺事所八講之始也　同九ノ八オ

江中納言匡房賢徳事　同三ノ廿五ウ

こうちうんき　十八ノ十四オ

弘法大師　同三ノ九ウ　同三ノ二ウ

弘法ト申奉　同三ノ十オ

弘農楊震事　同四ノ八オ

江帥婿ノ公前事　同一ノ四十五ウ

紅梅ノ小袖カツキ　同三ノ廿一ウ

江州善勝寺東堂叟　同十一ノ十五オ

孔子出生事　同十ノ五オ

江州長尾寺能化覚然上人叟　同六ノ廿四ウ

此物語ハ尼乃みてたまひしをもてまいらせ候　家同ノ四十オ

碁ノ手ニ載ト仰セケルヲ傳奏聞誤リテ　同十六ノ一オ

木の葉ふる時雨　同ノ二オ

此山ノ中旬高クナレリ　同十二ノ四四ウ

ち〻染乃梢　家同ノ二オ

こゝ水乃宴　家四ノ五十八ウ

極楽　十九ノ二ウ

虎園和尚　園六ノ卅六ウ

子安鶴ヲ助テ後死又三年ニメ生返ル事　同七ノ卅ウ

五万長者　同五ノ卅五ウ

古万葉集　十九ノ廿八オ　同十九ノ卅オ

高麗笛　十二ノ九ウ

弱の法あひき　十九ノ七ウ

苔ムシロ　園三ノ卅六オ

昔乃いまもやれゝもてん　家四ノ卅三オ
小節巻ノ弓ノ拳去ナル　同四ノ廿六オ
心乃滝　十一ノ七ウ
心寄ニ思ヘル体　同十二ノ十三オ
心乃駒　八ノ十一ウ
九頭ノ龍　同十二ノ十八ウ
心もゆらゝく　十九ノ七オ
試ミ観音　同七ノ廿九オ
九乃清ゝミ　八ノ七ウ

心をごき　円四ノ十六ウ

心劣り　家四ノ十五オ

呉国孫鏡変　円五ノ廿四ウ

小朝拝　家四ノ二ウ

小賢ク　円一ノ十六オ

古今作者を賦物にせし連歌　十二ノ廿二ウ

小弓勝負ヲ當ヒケルニ　円五ノ卅四ウ

子種膳物　同十ノ七ウ

五色ノ雲　同二ノ十九オ

こし　中子冠　十七ノ十六オ
腰掛子　同三ノ二十オ
後白河院乃御車そハ　家同ノ六オ
こしおれ頌　十九ノ十七ウ
悟真寺沙門釈恵鏡叟　同十ノ廿二ウ
御酒遊宴　同ノ七ウ
腰折タルニ似　同八ノ卌一ウ
小白丸トテ秘蔵ノ狗　同二ノ廿七ウ
五色花雨　同七ノ十五オ

呉越戦支　國六ノ十二オ

古筆和尚　同三ノ四オ

古曰　蝙蝠証果聖人出支　同十三ノ十オ

鯉　十九ノ十二オ

小松實ハゲテ　國四ノ廿五ウ

五節　家四ノ三オ

五節所乃手をあひ　同ノ四十オ

古せちのころ　同ノ四ウ

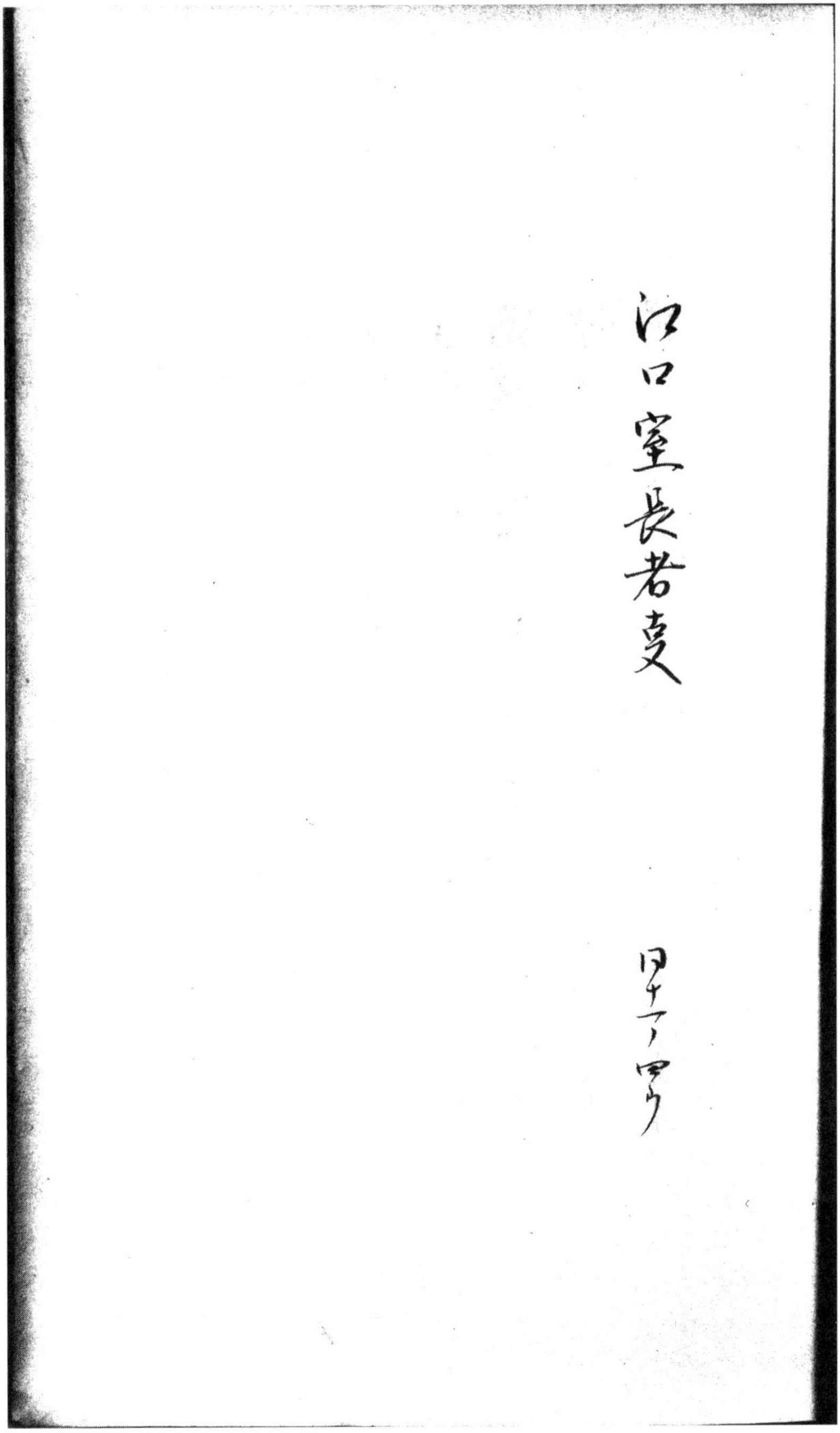
江口室長者事

天

定家乃家ふミ梅の移うつし植る　十四ノ十八オ

手筋　國二ノ卅九オ

手ヨヒ　ロゲテ　日四ノ卅三オ

手をとたゝくゝん　十九ノ十三ウ

手かく　日ノ　三ウ

鐵腹外道　國十ノ十二オ

鐵丸　日九ノ廿六オ

鐵丸ヲ生　日十一ノ十九オ

天狗ナトニ取レテ　国十二ノ卅五ウ
天燈　同六ノ三ウ
天台座主延昌僧正之事　同七ノ十六オ
天狗　同十五ノ五ウ　同三ノ二ウ
天神勅問ヲ請テ四ケ條ノ事ヲ奏シ玉　同二ノ廿二ウ
天水郡張志達写大品経三行延壽事　同十二ノ十五ウ
天竺梵語坊僧　同十ノ一オ
天文博士　十九ノ廿ウ
殿上の月給大もん　家同ノ四オ

天井ニ聲アテ　園七ノ二ウ

天満天神也愛宕山御影向ノ事　日三ノ十四ウ

天神御影向　日三ノ十七オ

天神即雲ニ乗シ儀ニ雷神ト成　日三ノ十二ウ

天人下向供養阿難陀事　日七ノ十二オ

天井ニ上テ椒果ヲ取ワキ　日七ノ廿一オ

天台大師事　日八ノ十七オ

大台宗是ヨリ始ル　日ノ十八ウ

天満天神菅原某神　日三ノ十三オ

天狗ナトノ取タルヤラン　國九ノ廿四オ
天井ノ上マテ探シ　同六ノ廿八ウ
天狗ナトノ取タルヤトテ　同十一ノ十オ
點照禅　同十一ノ卅八オ
天目建盞ヲ取出シ　同十二ノ卅二ウ
手負セタリ　同六ノ廿八ウ
手白猪子ハ根芹也　同十一ノ十七オ
手白ノ猪子　同ノ六オ
手もたねまき　家同ノ二オ

安

阿育王破地獄造文殊像事　国六ノ丁オ

阿育大王八方四千基石塔　日十二ノ三十オ

阿育王塔　日ノ　三十ウ

阿育王石塔寺事　日ノ　二十九オ

あそう座　十七ノ五ウ

あいかなし　家日ノ十五ウ

阿きうらし　日ノ　六オ

粟田左大臣在衡事　国九ノ十七ウ

アハレタリケルヲ　國二ノ四十才

アヘナサ云計リナシ　同八ノ廿四

蟻はあはきて　十九ノ廿八才

ありといふむかしの物かたり　家四ノ五十八才

左京業平ニメ童形ヲ示メ中将ヲ助ケ玉フ　同二ノ四才

或人買智恵　國十ノ五十才

あら地の狩　十四ノ十二才

あら夜の臥田　十四ノ十三ウ

あるといふあたりしふしく　家四ノ三ウ

青ノ紀兒　十九ノ十二ウ
あをもとろふ　家同ノ五十四ウ
青鷺ト云鳥　同上ノ卅六オ
青侍　橘左衛門尉　巡舎吏　同ノ廿二オ
青馬　十九ノ一オ
青海ろう　十一ノ十五ウ　同十一ノ十四ウ
あをふし　燈　家同ノ二ウ
阿をうさ滴　同ノ一オ
暁起　十一ノ十三オ

安地穏　十四ノ十二オ

閼伽ノシヅク　同四ノ卅六オ

安坂ノ力寿ト云遊女　同十ノ廿九ウ

安木ヅカノ刀一腰　同十ノ十八ウ

安鎮　同一ノ七オ

愛宕ノ良縁カ許ヘ持ニノユケ一木サル　同十ノ八オ

阿練若比丘讀大品經感応ノ事　同九ノ卅オ

アツカイ　同廿ノ卅一ウ

あるはり　十九ノ六ウ　十九ノ十一オ

阿難ガ者㕝　同七ノ一オ

あなうしこ　九ノ三オ

アナメノ〳〵　国十二ノ十オ

アナガチ　日九ノ廿オ

阿那律ガ者得天眼㕝　日八ノ廿四ウ

新剱ヲ造テ鑄移シテ大内ニ安置ス今ノ宝剣也　日一ノ十四オ

叢海　御障子　四ノ九ウ

あむひお侍　家日ノ七ウ

行脚　国十ノ十八ウ

安然 和尚　国四ノ二十オ

安ト云字ヲ女ニ冠ヲ戴セテ作　日一ノ五十オ

嚠喨両三声暁調聖衆之楽　日四ノ二十七オ

アノ雲ノ下ニコリ吾母ノオハス里アルテメト　日十二ノ五ウ

アノ僧ニハ　国十二ノ卅二ウ

悪業罪人遇地蔵菩薩免苦事　日五ノ二ウ

悪口 智ノ事　日十二ノ廿四ウ

悪業罪人法華経奪取事　日一ノ廿七ウ

悪業淫セル札　日八ノ廿五ウ

悪毒王愛牛吏　周八ノ廿七ウ
いやゑの枕　三ノ四ウ
漢鹿哉　周十ノ六オ
あやめきくへもれうる　家八ノ五十八才
あまつゝ　十九ノ廿四ウ
いまひこ　廿ノ九オ
天乃浮橋　十五ノ二オ
天岩戸　周一ノ十二オ
天叢雲ノ剣　八ノ十三ウ

天乃羽衣　家日ノ廿三ウ
雨宿り　国四ノ十五ウ
天津乙女織女　日ノ廿二オ
明日の山　名所にありあかしる　十二ノ四ウ　十二ノ十八オ
あきつそふ蜻蛉　一ノ九ウ
葵　三ノ二オ
阿ふてりつる　十九ノ五ウ
アフレテ　国三ノ十ウ
油糖　日一ノ卅七ウ

阿含経事　国十一ノ廿八オ　同十七ノ十二オ

あさきよめするとのもり　家同一ウ

浅間敷悪人　国四ノ廿オ

阿さらへ　家同ノ四十三オ

あさゝ婦ひ　同ノ二ウ

阿さ亀いの御所　同ノ三ウ

あまられし　同ノ五ウ

秋風ノ吹ニ附テモアナメ〱　国十六ノ十オ

阿維精舎之二比丘之変　同五ノ廿九オ

雨のふりし　家日ノ四十四

アメ牛ニ乗テキ雑ヲ大カニハキ　国十ノ廿七オ

雨しきりく　二ノ三ウ

天御橋　国三ノ三オ

阿弥陀奥　同六ノ四十ウ

阿弥陀佛作大奥ノ摂溪人吏　同ノ同

阿弥陀聖　国六ノ卅二ウ

細の国ふるきさる風　十九ノ廿八オ

あさきの諸　十九ノ三オ

阿弥陀坊阿闍梨静真　聞六ノ廿四オ

網代草　十二ノ二ウ

あしぶ　十九ノ廿オ

足結　聞九ノ廿四オ

阿闍梨利生叓　旧十ノ卅三オ

あしうき　十七ノ廿オ

あしたとく　わもしり遠ふ　家旧ノ五十八ウ

阿闍世王叓　聞七ノ七ウ

あしろ　宇治　十四ノ七ウ

アヒシラハン
相撲テ

圖二ノ卅六オ
同一ノ五十一オ

佐

西域婆羅門從手放光事　圃十ノ卅五オ

サイナミ　日八ノ二十八ウ

採桑女成閔王后事　日十ノ三オ

宮淩の出歟　十四ノ十八ウ

家猿諸岡佐一町の沸白樂　家日ノ三オ

葵邑宿柳亭事　圃八ノ卅五オ

採竹ヲ焚　日二ノ三ウ

サヒナミケリ　日一ノ三十ウ

西印度小國諸余的經和獻叓　國十ノ四オ
西行トゾ申ケル　日六ノ卅八ウ
西行法師値人丸叓　口六ノ卅八オ
サハヤカ　日九ノ十四オ
佐藤兵衛尉範清　日六ノ卅八オ
サリザナクモテ成テ　日四ノ七オ
猿眼　日四ノ廿五ウ
さる丸　十九ノ十ウ
さるかうしれうしまうく　郡日ノ四十オ

猿乃一さけひ　十九ノ四ウ

猿山王使者　同八ノ八オ

坂上田村丸再興寺　同十一ノ十五オ

お猿阿闍梨枝受　同ノ廿六ウ　同ノ廿七ウ

さらしく　十九ノ十七オ

さら　谷乃　十四ノ廿三ウ

盃乃まこと山頭かく　按伊勢物語　十ノ四ウ

さゝ　家同ノ四ウ

されなうまれゆり　同ノ四十一オ

されあそひ　家四ノ四ウ

曝タル人頭ヲ左手ニ持右ニ杖ヲ持打之　同十オ 十六ウ

五月闇　十九ノ廿七ウ

実方朝臣陸奥国ふくろ　十七ノ五オ

さらしやさらししと　十九ノ八ウ

サラヌ躰モテ成　国四ノ卅四オ

三字中略四字上下略連歌　（三ノ十五ウ　十一ノ十三オ　十三ノ十二オ　十八ノ九オ　九ノ三ウ

三五夜　国九ノ廿九ウ

三千三百三十三反　四ノ十八ウ

三百六十乃始祢　家四ノ六オ
三四苗遠忌　同七ノ廿九ウ
三蓮ノ興　同二ノ廿五ウ
山王擁護叓　同七ノ二ウ
三鈷飛至　同三ノ五ウ
三論宗　同四ノ六オ
三山十二ノ瑞籬　同一ノ卅五ウ
三冬ゝ雪　同八ノ廿七ウ
三山曇異国記一也　同一ノ卅六ウ

三度拍しひく後いひ出ても　十六ノ十三オ

三位入道ハこて乃をちの与まひ　家日ノ廿八オ

山王圓頓守護霊神　圓八ノ八オ

サムサニヌレジ　タメ也　日九ノ十六オ

山王利請事　日廿ノ九オ

山王ノ神託　日十ノ八ウ

三人同道僧俗愛智川洪水渡事　日四ノ廿四ウ

三遍盃　日五ノ廿四オ

三千貫首　日廿ノ十八ウ

三乗沙門　同六ノ五オ

三種トハ八咫鏡神璽宝剣也　同一ノ十四オ

卅番神内ニ入　同七ノ廿四オ

山門東塔東谷梶井僧都事　同十ノ廿九オ

三塔第一名誉ノ聖リ　同九ノ廿九オ

荘園事　同四ノ五オ

掃除精舎庭生天事　同六ノ四オ

松応和尚　同一ノ十七オ

松嶋禅門ノ館跡　同十ノ十八ウ

左思樹　国一ノ四十八ウ
費洞　四十一ノ卅七オ
桜茶ト云寂取愛ノ英女　四ノ廿六ウ
桜クリ　一ノ十四ウ
酒ノ泉　国四ノ十七ウ
酒ニ酔ル優婆塞夷　国四ノ卅オ
サケ鞘　四三ノ三ウ
さつてもし　家四ノ五十七ウ
さゝの巻　十二ノ八オ

さくの庭　十三ノ五オ
はくたく花　十七ノ八ウ
鶺鴒《総ハ鶺鴒》ならは　十四ノ十三ウ
さゆりたれ　廿ノ十オ
サメ〳〵ト泣　雨〻ト泣　園一ノ一ウ
さしき　一条大路　一ノ十四ウ
さ下ニ　サミモニ　園六ノ廿四ウ
さしも明き車於　家日ノ八オ
さしなつて　十九ノ五ウ

指出

石流　サスガ

関口ノサスカ

口三ノ十八オ口四ノサスカウ

喜

牙叢ヲクヒシバリ　國十ノ廿七オ
きらひゐ　十四ノ十二ウ
キホウヲ番ヒ　國十ノ卅六オ
木戸口　同十三ノ廿六オ
吉上　家四ノ一ウ
橋本衛門尉　國十三ノ廿二ウ
桐の葉乃雨　十二ノ十八ウ
桐火桶　十二ノ十二オ

きりのゆき 船ちまひ　宗同ノ廿七ウ

木をと掬り猿　十九ノ四ウ

虚言誹謗　同九ノ十九才

御剣ちるしのもと　家同ノ五十才

御幸なし免　同ノ六才

北の荻ゝ　同ノ六十一才

北《ほく》まくらちり　十八ノ三ウ

北のミちなゝ　十七ノ三才

北窓　十八ノ九ウ

祇陀太子五戒受事　園五ノ廿四オ
キヅナ　同四ノ卅六ウ
キツナ切タリ　同六ノ九オ
きらゝ草　十六ノ十二オ
吉彼小東く　家四ノ四ウ
きら様ヲ薄き心　十六ノ十二オ
きらゝの袖ふる鈴　三ノ五オ
金銀の橋　園十一ノ廿四ウ
九龍會ト云茶ヲ調テ諸人ニ施ス　園八ノ九オ

九州探題　　圓十ノ十七オ

九想圖ヲ繪テ　　同四ノ八ウ

きらまれらし　　十九ノ十三オ

きのふ乃淵　　二ノ十ウ

魏散徳居士觀音信仰ノ徳变　　圓九ノ十七オ

魏孫衛値不祥誅变　　圓九ノ十五オ

祇洹精舎ノ事　　同七ノ十オ

菓小けるさき〻勢ろく　　十九ノ五オ

菊花ノ盃　　圓一ノ廿六ウ

菊安　十九ノ廿七オ
容俗　同二ノ十五ウ
経婦くろ　家四ノ廿五ウ
行幸乃儀式　同ノ二ウ
脚半　同四ノ廿六オ
京極御息所　同二ノ四四オ
京童　同二ノ十オ
行基四十九ヶ所ノ伽藍ヲ建立　同二ノ二十オ
行基菩薩ノ事　同三ノ十八ウ

喜根菩薩両并説於無事　周冬ノ十二才
皈依僧無教化壇那落蛇道事　同十ノ卅二才
帰后三宝轉ニ王之邪心ニ事　同四ノ一才
北野千句　十二ノ四才　十二ノ廿三才
君そきみなる　十八ノ六才
君のくらゐ　同ノ同
君　椒子ヲ指テ曰　園一ノ卅三ウ
きしあゑ　祢みかふ　十七ノ廿四ウ
きらしかもさひ　十四ノ四才

義照院与千観内供同宿夢ノ事

同年廿三日

由

ユイカイ無キ心　國四ノ卅四ウ
湯ヲ浴セ垢ヲ磨キ　日二ノ卅オ
柚のしく　家日ノ九ウ
歯朶盧安良藪生変　國十ノ卅三オ
遊女亀王　十四ノ十四ウ
遊女　家日ノ四十オ
維摩長者　國ノ四十九オ
柚ノ木　日四ノ廿六ウ

夕浪ちとり　十九ノ十三ウ

ゆくゑ　（同二ノ卅九オ　同三ノ十五オ
同十ノ卅三ウ

費氏荒氏無ク　同二ノ廿七オ

荒路ふまえてあるきこそ地　家同ノ一オ

荒乃あし路　十ノ九ウ

おへしき　家同ノ四十ウ

由ゑしく　同ノ一ウ

ゆきゑ　十七ノ五十ウ

妙

目貫　園四ノ廿六オ

目をひきてみる心　姑息　十一ノ十五オ

免かくし　十九ノ六ウ

目まりきゝきの　おもひ出　十九ノ十五オ

目ツホクサリテ　園四ノ廿五ウ

免田ヲ寄進　同二ノ四十オ

妙法蓮花経勝利　同八ノ廿七ウ

妙法蓮花経ヲ以テ参ルト常ニ言給ヒケリ　同八ノ廿八ウ

妙荘厳王因縁之事　國四ノ十オ

玅文字　日三ノ十九オ

めんの上手そしもかゝる所々さ　八ノ七オ

メノトコナリ　國三ノ卅五ウ

眼暗翁《メクヲー》　日九ノ十一オ

盲鶉　日十ノ十オ

めんしはきき　家四ノ六ウ

盲タル鳥　國十ノ十六オ

目モクレ胸塞リ　日四ノ卅六オ

目モ見カケズ

四ノ七オ

美

御きら勢　十四ノ五オ

御八講　国十一ノ三ウ

こゝゑたまもき　十九ノ十七ウ

身おゝメキテ　国九ノ十三ウ

路ノ程ハ文一巻ヲ東表ニ持テ被見ケリ　日九ノ十八オ

こちくみつきらほらこらさる／＼て　家日ノ八ウ

道ある山　十八ノ三ウ　下一ウ

たゝもさらあつき　家日ノ七ウ

身をつくし　家四ノ五十九オ

身ヲタバイテ　國四ノ廿七オ

身ヲ知ル雨ノ涙　同一ノ廿七ウ

三輪上人吉水僧都手ヘ遣ル文　同八ノ廿三オ

ミクリ水　十八ノ八オ

水カサ増　國七ノ卅一ウ

三河入道寂照文　同十一ノ廿九オ

みよの浦とも　家四ノ卅五オ

三善清行子息浄蔵貴所　國六ノ八オ

身ヨリ汗流ルミサメテ則サハヤカニ成ヌケリ　同九ノ十四オ

御堂供養の月　家四ノ五十ウ

ミタラ井ニ　同十ノ五オ

みしつひ隣をちへゝまても　十八ノ八ウ

弥提国王畫五大刀像免鬼病事　同五ノ十四オ

御衣水　同七ノ廿九オ

御衣木ヲ備ニカ為ニ　同七ノ廿七ウ

三鱗形文　同十ノ十六オ

水車　十四ノ八ウ

宮仕人　國九ノ十五ウ

こゝひとつ　六ノ八ウ

水のなかや柳のゑしん　丁ノ十一オ

水のかしまき　十九ノ三オ

こつと奥とのきとくみて　十八ノ六ウ

こゝのくゝゐ　家四ノ廿二ウ

水か兜の湯　十九ノ十四オ

嶺八葉峯花蕊四境観　閑三ノ八オ

南ノ京永超僧都事　日四ノ卅二オ

みくし　十九ノ九オ

御庭会人　家四ノ六オ

此うら　同ノ五オ

三井寺智興內供奉　國九ノ十六オ

身ノ色黒キ事猶墨ヲ染スルガ如シ　同五ノ二十オ

ミノシロ衣　同九ノ十一オ

身代毛もとるちを捨むさむきこ足るをあぬ捨る　家四ノ三オ

身毛彌立　ミノケヨダチ　國六ノ十ウ

見苦キ氣　同一ノ廿八オ

身黒色　園五ノ三十ウ

御車の御簾　家四ノ七ウ

御位移つり　同ノ五才

名越童子草創名越寺　園三ノ六ウ

明心寺ノ十四位　同五ノ卅八才

宮方ハ南朝　同三ノ九ウ

宮方大将　同ノ同

宮原女房　同九ノ廿才

眉間尺トゾ名附ケル　同十一ノ廿才

眉間尺事　国十ノ十九オ
うるふ　家四ノ四十オ
心あひかたちなれは　四ノ十二ウ
ゆかしきもなき　同ノ三オ
身社哀し　国四ノ七ウ
みめよし　十九ノ十九ウ
三十才なとト勧メ　国三ノ十五ウ
うるはしく　十九ノ十一オ
うるかはしき　家四ノ六ウ

みゝきのうへのるす
身もおり出
御さいしん

家同ノ字三ヶ
同ノ八字
同ノ六字

志

白犬毎至此山頂上高嶂テ三反メクリテ礼拝ス　同十一ノ二十ウ

白黒賊物乃連歌　一ノ二ウ

白黒乃百韻連歌　九ノ七ウ

しらきくはきこもみえぬ　家四ノ一オ

城の木戸口ニ　同十二ノ廿三オ

白河原ニ成テ　同七ノ卅五ウ

柴ノ編戸ヲ叩　同四ノ十六ウ

司馬季通雲字般若書事　同三ノ廿七オ

境瀬の波　一ノ二オ

ミホレタル姿　圍四ノ十五ウ

しふき　十七ノ十七ウ

しほ屋　一ノ十二オ

慈童回　童子　圍一ノ廿五ウ

四知　同四ノ八オ

七珍莚満万宝豊　同ノ十四オ

七本大杉生　同ノ同

七佛業條支　同十ノ十九オ

七年願連歌　三ノ四オ
七仏薬　同七ノ八オ
尸利密多観音像事　同十二ノ卅三オ
尾ヲ懸　同三ノ十五オ
志るしのきれまし　家同ノ二ウ
師走をいつく　十九ノ十三オ
慈覚大師夢服不死薬事　関八ノ三十オ
慈覚大師御作地蔵菩薩　同五ノ三ウ
慈覚大師　同八ノ三十ウ

四海棟梁　同二ノ九ウ

志賀寺上人恋路変　同六ノ四四オ

シカ子テ　同三ノ卅二ウ

鹿笛　十九ノ四ウ

詩ニ合ろうさ　宗祇同ノ四七ウ

鹿ノ頭ヲハ蔵タル井ナリ　同十二ノ十五オ

書写性空上人拝普賢変　同十七ノ四ウ

所司　七ノ一オ

勝軍木　同一ノ七オ

訴ニノ探題國ニノ守護　國十ノ十八オ
勝軍論陣事　同四ノ七ウ
勝鬘夫人事　同十ノ一オ
助人贖鬼黷帝釈座事　同二ノ廿オ
諸國ニ守護ヲ居ヘ　同十ノ十四ウ
書院　同九ノ廿九ウ
蜀郡鄧通事　同三ノ卅四オ
シタヽメテ　同十一ノ廿四ウ
須達長者事　同一ノ十八ウ

しつらひ　家四ノ一ウ
品々　同二ノ九ウ
品高キ女ニ心懸テ　同三ノ卅五オ
指南　同二ノ十ウ
指南車　同ナ十一オ
信濃國道世暮往告更　同二ノ卅二ウ
白浪　同二ノ七オ
白浪寇のスル　同一ノ五十ウ
しら浪　盗　十四ノ五ウ

しらけの米　十九ノ十三オ
志らきくろ握る　十九ノ十オ
志らし海ら　十四ノ十一オ
白分翁　園五ノ卅二ウ
白川乃御房　家四ノ四オ
白川殿乃御堂供養　日ノ六十オ
真如朽セス　園二ノ十九オ
真如親王御所ニ給テ和寺ニナス　日七ノ十四オ
新古今乃部類をもりる　家四ノ四十九オ

新式　廿ノ二ウ
真原法師値死亡師事　同七ノ九オ
神道　同三ノ廿二ウ
神馬　同五ノ十一オ　家同ノ五十八ウ
晋法顕三蔵渡天竺　同一ノ卅一オ
晋左大仲三都賦書事　同三ノ卅八ウ
震旦小ゝ阿弥ハさせ申へ数　阿弥陀三尊　家同ノ九オ
神女被牛牽到仏寺事　同三ノ廿八ウ
新羅僧念誦阿含生浄土事　同十一ノ十一ウ

信婦言称阿弥陀仏名号破地獄蘇生事　国三ノ一オ
新死人　家日ノ二ウ
為秦安義造普賢像事　国十ノ二オ
神今食　十六ノ十四オ
心性禅　国十ノ卅八オ
秦始皇帝求不死薬事　日一ノ四十一オ
神代昔事　日一ノ十一ウ
瞋恚償成大蛇事　日三ノ三十ウ
神殿大夫武麿　日ノ十四ウ

進士問　圓九ノ十九オ

真寂寺釈恵生事　同十一ノ廿八ウ

紫雲ニ乗テ　同二ノ四十ウ

醜女ノ功　同八ノ卅二オ

紫雲　同一ノ十三オ

紫雲天ニ從異香室ニ薫セル　同九ノ廿オ

終南山道宣律師事　同六ノ四十五ウ

周穆王到霊山事　同一ノ廿四ウ

周利槃特事　同八ノ卅ウ

紫雲高僧音楽遥奏　園九ノ廿二ウ

薬言ヲ嗜ノ諫メケル　円十ノ廿四ウ

忍車ノ了洞片輪也トヤ来サルラント　円ノ廿六オ

志此小夜衣ヲ王ちへ　家白ノ廿八ウ

五月八日仁王会始　園十ノ十四オ

シクハナシ　円ア ノ十五オ

障子ニ色紙ヲ押　円十二ノ十二ウ

障子ノ後　十四ノ八ウ

釈迦像感応文　園十ノ卅二オ

釈迦如来出世事　國一ノ七《元ノマヽ》ウ

釈迦樹下般若得事　同三ノ廿八ウ

釈尊成仏因事　同ノ十七ウ

釈尊為母説法事　同二ノ四ウ

釈尊昔為大王時求法事　同一ノ廿オ

砂金五十両　同十一ノ廿四ウ

砂金一百両　同七ノ廿七ウ

聖徳太子事　同一ノ六オ

聖徳太子叔父良正上人　同十一ノ十五オ

聖徳太子四十六箇ノ伽藍　園十ノ廿ウ
証空阿闍梨　同九ノ十ウ
性空上人上東門院女院ニ参會事　同八ノ廿二才
勝陽房真源法橋　園七ノ九才
沙門恵道遣八部法華因縁事　同八ノ廿九才
上下北面　家同ノ二才
上東門院女院自花洛房参會懺悔容登書寫寺之事　園八ノ廿二才
沙竭陀為若毒龍降伏事　園二ノ廿五才
建立精舎地感応事　同七ノ十才

釋難花得不生不滅事　同十五ノ十五ウ

釋普明見普賢事　同十一ノ四オ

常行堂　同十ノ卅五オ

釋含照畫千佛像事　同二ノ卅七ウ

上諸　十九ノ三十ウ

淨蔵貴所事　同六ノ八オ

釋道秦念觀音增壽命事　同八ノ六ウ

舎衛城老公明事　同四ノ卅二ウ

南閻梨　仙人事　同十ノ卅八オ

麞牙米粉　圓二ノ三ウ

諸葛亮孔明事　同十二ノ十九ウ

科照邪　同一ノ九オ

蛇石　同二ノ十九ウ

精舎壁仏号時加少米延五十年寿事　同十 三十オ

釈智猛事　圓六ノ八オ

釈道如造無量寿仏像救受苦衆生事　同三ノ一ウ

尺迦因位事　圓十一ノ十四オ

寂蓮の道ワつらひ之流ひふきまれくなり　恭四ノ十六ウ

沙門道乗依瞋恚得往生事　日三ノ十二ウ

釋恵表事　日十二ノ七ウ

釋擁恵往生歓喜国事　日十ノ卅三オ

舎利子女事　日ノ十二オ

上宮太子甲斐ノ駒ニ乗テ富士山ノ禅定ニ到リ玉フ　日十二ノ四五オ

聖無道尊自称無價語婆ノ事　国十二ノ四二ウ

庄園地頭ニ論ス　日十ノ十四ウ

知識大事　日七ノ卅四ウ　日ノ卅六ウ

指縵外道事　日四ノ十九オ

四弦　　十九ノ四オ

十八公　　國廿ノ十三オ　四ウ

十二権現　　同一ノ卅五オ

十禅十四門ヲ出テ、教外ヲ忘レ祖師ノ道ヲ背ケリ　　同十ノ卅七ウ

十不斫　　國一ノ卅六オ

十万両ノ直スル衣　　同十ノ九ウ

八木行如流水　　同十二ノ十五ウ

十念往生感応支　　同ノ十一オ

十一面観音支　　同七ノ卅五ウ

十禅師佛利生　同十ノ卅六オ
寂照法師　同十一ノ廿九ウ
神殿御戸　同五ノ十六オ
四天王像刻　同一ノ七オ
たきこゝ法師のまれ　八ノ七オ
略鼻　同六ノ廿五ウ
閻壽命經延命東支　同九ノ廿八ウ
巡物語　同一ノ一ウ
宿願　廿ノ十五ウ

衆議せん　家四ノ二十ウ
守護　國十ノ十八オ　同ノ十四ウ
珠離比丘尼　同一ノ卅九ウ
儒童事　同六ノ四ウ
し兜乃中ふ　十九ノ廿七オ
身子為若調達弟子被殺事　國七ノ三十オ
志づふるとうとしもふ　家四ノ五十四ウ
四十二　國八ノ六ウ
四十九日追善　同九ノ十ウ

肉ムラ
時衆
尸毘大王代鴿叓
志ゝむらしや
志ゝさゝらひ
四霊ノ鶴

園三ノ卅二オ
日四ノ廿五オ
日九ノ廿五オ
十九ノ二ウ
十九ノ十八ウ
園十二ノ四十オ

恵

御聰公事　閏二ノ廿九ウ

御宜公無道事　同四ノ廿三ウ

烏帽子　同ノ廿四ウ

絵ニ書留ノ御形見トセリ　同十二ノ七オ

越前守藤原朝臣高房ト云人アリ　同七ノ廿六ウ

絵をかく輩　十二ノ十三オ

画かきける大輔　十三ノ十二オ

廻向経ト申ス御経ハ未聞名　同八ノ十四ウ

繍畫ノ書ニ　園二ノ卅八ウ
潤容返珠事　同四ノ十五ウ
円通大師　同十二ノ廿九ウ
猿猴吟雲　同四ノ九オ
恵能ハ金剛経持之　同十一ノ卅七ウ
忍北之章　十九ノ十三ウ
恵超禅師遇亡親変　園九ノ廿五ウ
忍之乃才禮ヲ　家四ノ六ウ
恵心院源信僧都変　園十二ノ二オ

恵心院源信僧都母文　同一ノ廿一ウ

恵心院ノ御房　同十二ノ三オ

恵心僧都　同一ノ卅九オ

恵勢きゝ奴　七ノ六ウ

比

ひろふ木 海人　十三ノ六ウ

ひろむしろ　家四ノ二オ

一春　二ノ十三ウ

一もかりきぬ　十九ノ十七ウ

一ふさへのもれ　二ノ四ウ

人くひ犬　十九ノ十五ウ

人丸ノ墓所　閑六ノ四十オ

ひゑひもしぬへき積気ニこそ　家四ノ六オ

ひとり老欲　日ノ十三オ（十二ノ八ウ）　廿ノ七ウ

人波ヲ着タル當世也　圓十二ノ十五オ

单衣　日九ノ十三オ

人ノ氣色カワルハ何物ソ　日一ノ廿八オ

一筋御室前ノ机ヲ捧テ向　日十ノ四十オ

人形ヲ作テ　日一ノ十三オ

人目ノ隙ヲ待　日四ノ七オ

一筋ハ観音ニ進セツルモノ　日十ノ四十オ

ひちまき吹わくちやりりしく　宗祇ノ廿八ウ

もぎゞきして　家ノ五十四ウ

毗奴寺中乗法以花厳置所令下其上事　同十ノ廿七ウ

弥留越支　同十二ノ卅二オ

書破子　同四ノ卅六オ

も《氷》を給ふ　三ノ十ウ

ひつ免　十九ノ廿ウ

彼岸と云紙アタリ　同十六ノ八オ

火よりも赤き雲　二ノ十一オ

もゝゝくゝ　十四ノ六オ

ひつぬき　十九ノ十オ
額かゝける文字　十九ノ十五オ
ひれふし　十九ノ十六オ
羊の歩ミ　十四ノ廿ウ
櫃より出て宿所ニ帰り　圍六ノ廿九オ
華受若　同二ノ卅三ウ
ひれのさゝやきゝり柱　十七ノ十九オ
ひしきぬの装束　十四ノ十八ウ
平門家　圍九ノ廿七オ

比良庁目検枷卜云犬ノ子　国二ノ廿七ウ

云ノ枚しき　家四ノ十一ウ

賓頭盧　国六ノ四十三ウ

賓頭盧者事　同二ノ卅七ウ

貧ハ諸道ノ妨　同三ノ卅一ウ

貧男捨身行之後無西休変　同ノ同

得貧女昌貴　同二ノ一ウ

貧女受持勝鬘経現身作皇后事　同五ノ廿七ウ

貧女ヲ信得失ハ変　同一ノ廿六ウ

賀僧依山王恵勤彼岸事　国十ノ八オ

賀女詠和歌得富貴事　四ノ卅九オ

敏満童子敏満寺ヲ建立　四ノ六ウ

閔子騫事　四ノ二十ウ

ひのたちー　家四ノ二ウ

引馬　七ノ九オ

被官人　家四ノ一オ

百年蝶　十九ノ二オ

百済国経論并律師禅師等将来　国一ノ六ウ

百済寺源重僧都一生如法経行事　圀七 廿三ウ

百日如龍　圀ア廿八オ　日三ノ卅五ウ

百味膳　同二ノ十六オ

平将門供養心事　同九ノ廿四オ

兵卜教チタレハ　同ア廿九オ

記書しゝく　家日ノ一オ

ヒゲ赤ク　国四ノ廿五ウ

ヒフクメテハ法楽ス　同八ノ卅三ウ

秀衡征伐ノ時ノ事　十四ノ廿六オ

ひあやうし　十九ノ十九ウ
ひきしぼるかき　十三ノ三ウ
毗舎離國良直長者ノ事　同八ノ卅 三十三ウ
飛行上人事　同六ノ五オス
ヒキ井テ　同三ノ十五ウ
引目ソヤ　十九ノ十六ウ
引手物　同十二ノ廿二ウ
日くらし　蟬　十二ノ十九オ
比丘僧感夢飛極樂地事　同九ノ十一ウ

微《ビ》妙尼因位事　国一ノ廿九オ

之免もを　家四ノ五十七ウ

尼妙藤木能代慈妙上人事　国八ノ七オ

尼妙成清子息遁世往生事　因四ノ卅三ウ

淋しき　家四ノ五ウ

之しし畢　十九ノ六ウ

ヒシメキケル　国十一ノ廿四ウ

叱々立女ト云事一ノ根元者悪心　日八ノ卅二ウ

倍部

比々丘女之始ノ事

日ノ日

毛

モロ手ヲ開テ　同四ノ卅三オ

陸氏大納言事　同三ノ卅四オ

も猿こし娘孫　十七ノ十三ウ

モトリ橋トリ名ク　同六ノ十オ

髻ノ巾ニ菓ヲクヒテ生字　同十ノ卅八オ

モト結　同四ノ卅四ウ

もとゆひつもにさまるへきよしくふみ松わたそ　家四ノ十六ウ

鮮ヲ好テ人ニ隠シ屏風ノ中ニヒトリ

歴テ嘆之　國ノ十一ノ廿オ

もちの鏡　十八ノ一オ

もえわし草　家旧ノ廿七オ

文殊ノ御顔　國六ノ十九ウ

もんぞ　家旧ノ五十三オ

物部筑部大神　國一ノ七ウ

物武　旧五ノ十八ウ

物スコ本廣野　旧三ノ十八ウ

もれきてまつへ風くもりくれし里　家旧ノ四十オ

もれくるをしのしくら　家日ノ四十七ウ

との命をとるを露とさき勢給も有　家日ノ八ウ

もれらわし　同日ノ二オ

目連尊者救母変　國九ノ一オ

モスクモスラサテ渡リ玉フ　同四ノ廿八ウ

モテナシ奉レト　同三ノ十五ウ

百年のちかはく　家四卅ウ

とゝと勢の近つくさう　同ノ卅オ

もゝちのうしく　同ノ九ウ

もとも眼おそく

十九ノ四

世

勢州源氏　同四ノ八ウ

齋宮王后無塩女事　同八ノ卅八オ

青龍車　同七ノ八ウ

清涼殿ニテ吾十度ノ御八講　同十三ノ三ウ

施鹿園六十之比丘ノ事　同九ノ十九オ

桅鹿杯　同十三ノ十五オ

錢一筋　同十ノ四五オ

前香のとき御剣ヲたて　十四ノ五オ

芹ヲ摘セシ　園十ノ四ウ
殺生罪除之　同十一ノ二オ
雪月花の折〻　家四ノ十二ウ
禅波羅密之　園十ノ廿八オ
千句乃宮神の発句　古ノ十五ウ
先代興廢　園十ノ十四ウ
千句連歌　一ノ六オ
禅寺の家〻　五ノ二オ
禅定　園四ノ三オ　十二ノ四五オ

善無畏三蔵畫胎蔵曼陀羅王事　同九ノ廿ウ

善愛女事　同六ノ卅五オ

千石許ノ庄ヲ玉フ　同十五ノ廿五オ

銭貨三連　同十ノ四オ

禅宗者閑ナル宗ト云心　同十一ノ卅八オ

千本卒都婆　同五ノ卅三オ

善相《宰》殿ニテ御涙ヲ有ヲ儀ニ費シ玉フ　同六ノ九ウ

禅林寺深覚僧正雨祈成就事　同五ノ十三ウ

千日湯　同五ノ卅三オ

千日湯屋　同五ノ卅三ウ

千石ト云札ヲ額ニ押サセ玉フ　同十ノ廿九ウ

賤下ノ女依地蔵講功徳蘇生スル事　同五ノ三ウ

善知識依勧遂往生事　同九ノ廿オ

諍所法師事　同十二ノ四三オ

千観内供ト云人　同一ノ卅九オ

善法比丘諂檀那嫉妬他事　同ノ卅七オ

善手悪手　同十ノ卅八ウ

小児念仏得功徳事　同四ノ十三オ

小児戯ニ以木葉造寺壽ヲ延ル事　国九ノ廿八オ

招對於地獄値亡母事　国七ノ八オ

施行ノ湯　日二ノ卅二オ

閑の戸の掻て付る　七ノ四オ

閑守支つ奴閑や　十八ノ一オ

蟬丸四絃　国五ノ廿二オ

春

はるるほし　十九ノ十四ウ

巣かへる鴈　十九ノ一ウ

はるさのわ　十四ノ十六オ

はるしこち　十九ノ一ウ

隋州信道喩自浄土飯叓　同六ノ四一ウ

隋朝王氏女 鱸生叓　同ノ卅三オ

緩地術ト云叓　同八ノ卅ウ

酔狂婆羅門成比丘事　同五ノ卅ウ

スクミ路ヲ踏　國三ノ十七オ

もえ出る草　十九ノ六オ

双六の手　十九ノ九オ

捨る枕　ぬしなきまく　（五ノ三ウ　十四ノ二オ）　十四ノ九オ

スサメテ漸クカレ〳〵ニ成レリ　國下ノ四九オ

松の板ぶき　四ノ十四オ　十七ノ十七オ

まき紙へ好つき　十九ノ九オ

炭焼　十二ノ廿六オ　十二ノ五ウ

住吉平王衰身血ヲ出テ起請文ヲ書渡セリ　國五ノ十七ウ

さゝとりの役　家日ノ四十オ
さゝみとり　十九ノ五ウ
住吉の里をたつ　十一ノ十三ウ
数百巻ノ医書の焼　国十二ノ十二ウ
さくら草　雛形　十二ノ三ウ　十六ノ八ウ
蕗の薹　十七ノ二ウ
茶種ノ皮送ノ御状　国十二ノ八ウ
絵もし　四ノ十三オ
硯の海　家日ノ卅九ウ

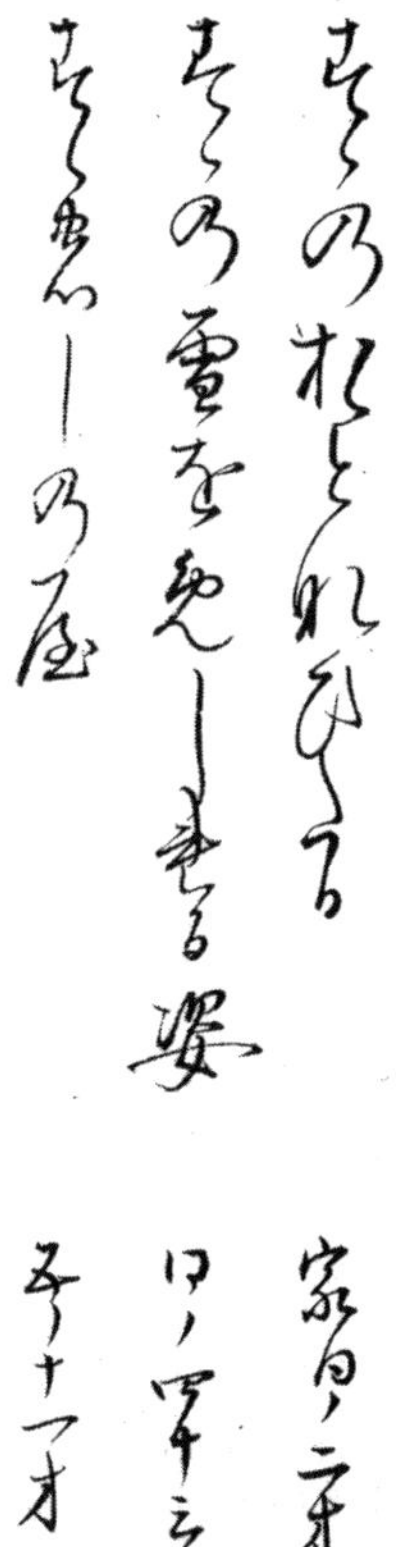

家筑三類語　下

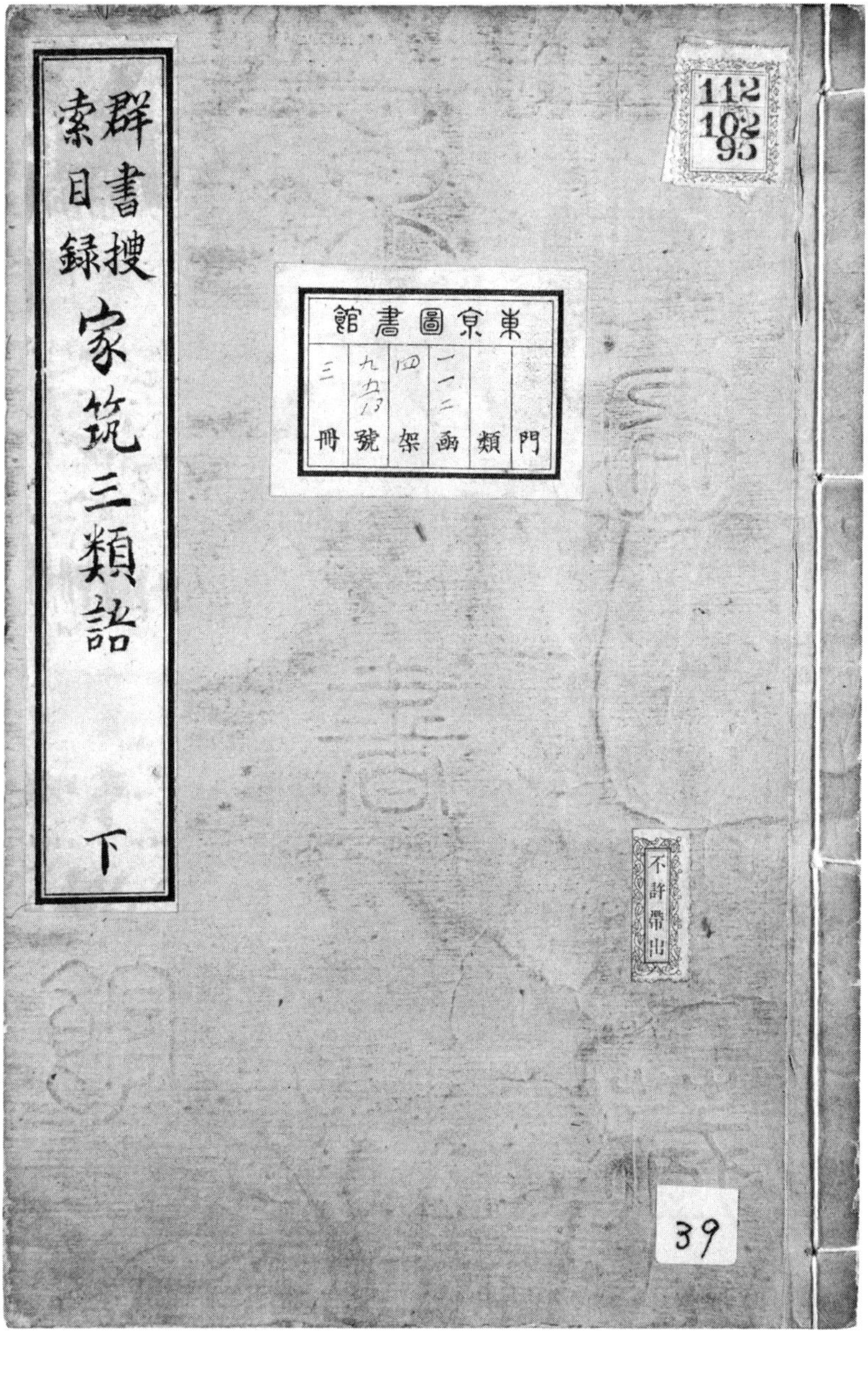
群書捜索目録
家筑三類語
下
112
102
95
東京圖書館
門
類
函 一一二
架 四
號
冊 三
不許帶出
39

家筑三類語

下

伊

石澗寺　国九ノ十ウ

いましろ結ひ松　六ノ七ウ　十ノ廿オ

岩清水　七ノ二オ　国九ノ廿一ウ

いまて乃杜　家四ノ四十九ウ

伊都郡　国三ノ八オ

一条　国二ノ九ウ

一乗深山嶽　国六ノ十一オ

一条堀川橋　国二ノ九ウ　同ノ十ウ

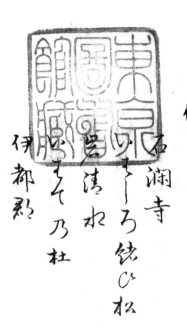

一条の大路ゝゝさし北　一ノ十四オ
一条乃は堂　國七ノ卅三ウ
犬上郡　同二ノ廿八オ
犬上明神　同ノ廿七ウ
犬神明神　同ノ廿八オ
入間川ノ辺ニ大ナル堤ヲ築キ　國七ノ卅一ウ
班鳩宮　同十ノ八オ　同ウ　同ノ九オ
いかこ乃海とに　八ノ一オ
怒《イカ》鹿《ルカ》　國一ノ九オ

儀乃宮　伊勢　七ノ六オ

出雲ト云所　国十ノ四一オ

伊豆三嶋社　同ノ十一オ

嚴島　同四ノ十九オ

伊豆國箱根権現　同七ノ十一ウ

因幡堂　同五ノ廿オ

稲荷社　同十ノ廿九ウ

伊吹禅定上　同六ノ七ウ

伊吹山長尾寺　同ノ三十四ウ

伊冨岑ト云大山号大乗峯　国六ノ五オ

伊福山　同ノ二六ウ

伊福貴山地主明神正一位官爵贈　同ノ六ウ

伊駒山　国十ノ八ウ　同十ノ八オ

生馬ノ里　同十ノ卅九オ

イサヤ川　同二ノ廿七ウ　同四ノ廿五ウ

石山寺　（同五ノ廿二オ　同三ノ二十オ
同九一ウ　八ノ一ウ

石川郡　国一ノ八ウ

石山　同七ノ卅三ウ

石山観音ニ祈テ連歌セシ丁
様ニ今昔物々　八ノ一オウ

飯高郡　国二ノ卅九オ

いもせの川　十四ノ八オ

妹背山　国四ノ卅六ウ

いとせの中より肥　十二ノ十四オ

妹背山ノ中ニ吉野川露タリテ　国四ノ卅六ウ

い勢の濱荻　十四ノ二ウ

伊勢　（十八ノ二オ
十八ノ六オ　十八ノ四オ

伊勢島　一ノ四ウ

いせおのあま　十四ノ一ウ

伊勢國　十九ノ十九ウ

伊勢大神宮　（国八ノ七ウ　日七ノ廿四ウ　日六ノ卅八ウ　円十三ノ五オ）

伊勢大神宮の　禰宜　十九ノ十九ウ

五十鈴川　（国十三ノ四二オ　日七ノ六オ　円七ノ八オ）

呂

魯國渡

魯國

六波羅

六角堂

國丁一オ

同ノ同

同七ノ九八オ　同卅三ウ

同ノ卅三ウ

波

はゝそ乃杜　十九ノ九ウ
八葉白蓮霊嶽　国十三ノ四三ウ
八王子宮　日七ノ九ウ
幡磨乃国　廿ノ十二オ
幡磨路　国二八ノ卅九オ
幡磨国高尾谷　日八ノ廿一オ
幡磨ノ室　日五ノ廿ウ
はゝきハこの富士　十三ノ十四オ

長谷山地主瀧蔵権現　国五ノ卅五オ
初瀬川水車　十四ノ八ウ
初苗里　国一ノ廿四オ
泊瀬　同二ノ廿九ウ　同四ノ四ウ
泊瀬山　同五ノ廿三オ
長谷ノ下出雲ト云処　同十ノ四一オ
長谷　国七ノ卅三ウ　同十ノ卅九オ
　　　同十ノ四十オ　同四ノ三オ
長谷山口ノ神　同五卅五ウ　同二ノ廿一ウ
泊瀬河　同四ノ十八ウ　同四ノ四ウ

長谷山　国五ノ廿二ウ
花山　家四ノ廿九ウ
般若寺　国十ノ十七ウ
宝幢院　日三ノ十二ウ
早玉宮　日一ノ卅四ウ　同卅五オ
林さきといふ所　十九ノ十九オ
まゐれ乃橋本宿　十九ノ六オ
もこやの山　あらノ卅二オ　同卅一ウ
箱根権現　国七ノ五オ

箱崎　十二ノ十七ウ

筥乃傳ちるひえの山　十七ノ三ウ

橋寺　同一ノ八ウ

橋もと　十九ノ二八オ

長谷里森ト云所　同五ノ廿四オ

泊瀬寺　同十ノ廿四オ

長谷寺　（同五ノ三十ウ　同十六ノ廿九オ
同十ノ十二ウ　同十六ノ廿三ウ）

長谷豊山寺　同二ノ廿一オ

長谷寺造營　同九ノ廿三オ

長谷寺炎上
長谷寺観音

国五ノ六二オ
日七ノ六八ウ

仁

尓保乃海　十四ノ一オ

仁王堂　国三ノ十七オ　同十ノ四一オ

女一王子　同一ノ卅五ウ

二宮ノ御室前　同十ノ八オ

丹生大明神　同三ノ八ウ

西坂本　同十二ノ五ウ

西御前結宮　同一ノ卅五オ

西洞院　同三ノ卅五オ

西乃うミ　十八ノ七ウ

西京二坊　国四ノ廿ウ

西山乃瀧　十四ノ八ウ

保

佛谷鎌倉瀧
堀川橋
穂積橋
本玄十二所
本願成就寺
報恩寺
法勝寺
法隆寺乃塔

国七ノ十オ
同六ノ九ウ
同七ノ廿七オ
同一ノ廿五ウ　同オ
同十一ノ廿ウ
十九ノ四ウ　廿ノ六オ
（一ノ六ウ　一ノ八オ　二ノ十オ　十九ノ二オ
廿ノ二オ　廿ノ五ウ　十二ノ六オ　十九ノ十九オ
宗甲ノ六十二ウ
国十ノ八ウ　同十ノ八オ

法隆寺御舎利
法輪寺
法隆寺

（三ノ四ウ　一ノ十一オ　一ノ十三ウ
（十八ノ八ウ　廿ノ六ウ
国一ノ六ウ　日ノ八オ

追

平塩寺　国四ノ八ウ

平安城地主加茂大明神　同五ノ六八ウ

平侍郎　同三ノ六三ウ

止

鳥羽　国五ノ十九ウ
鳥羽殿　家四ノ六ウ
とをとの宝荘　日ノ四十三ウ
遠里小野　日ノ四十五オ
遠江桜池吏　国十ノ廿六ウ
東関　日四十九オ
東塔南谷　日七ノ九オ
東大寺ノ西堂　日五ノ七ウ

東大寺　国七ノ十四オ　同五ノ七ウ　同八ノ土オ　同二ノ卅オ　同七ノ十三オ
東大寺ヲ建立　国二ノ十八ウ
東寺　同ノ九ウ　同ノ十オ
藤春閣　六ノ三オ　同ノ四オ
東寺建立　国三ノ六ウ
東寺講堂　同ノ同
東山寺戒壇院　同七ノ十四オ
東大寺大佛　同四ノ卅三ウ
東谷山吉田今長谷　同七ノ三十オ

外山　宇治　四ノ八オ

鳥籠山　同二ノ廿七ウ

土佐小アま神　七ノ九ウ

亦打ノ山　（十四ノ廿六ウ　六ノ十オ　四ノ八ウ　哀ノ廿二ウ）

岩葉ノ村　同十ノ四ウ

富洪川清流ヲ渡テ　同六ノ卅八オ

富ノ小川　同ノ九オ

知

千剱破城擲　国一ノ十二オ

千鳥岩　同二ノ六七ウ　同ノ四ノ六五ウ

千年浦　同六ノ二ウ

ちゝ娒山　十九ノ九ウ

千松原　国一ノ十五オ

莖小倚ノまる禄まゝ　七ノ八ウ

地主乃花　二十ノ五オ

地主飛瀧權現　国一ノ拾五ウ

鎮西　国六ノ六ウ

竹生　同四ノ十九オ

ちくぶ比神　十九ノ十ウ

竹生島ト云処　国十二ノ卅六オ　同ノウ

竹生島辯財天　同十ノ廿オ

長楽寺　（同十二ノ卅一オ　同七ノ卅三ウ）

長福寺　大ノ二オ

長捸寺　国二ノ廿四ウ

長福寺花見　大ノ二オ

長勝寺建立
地福寺
地蔵堂

国二ノ廿三り
同五ノ四り
同四ノ廿六才

利

臨川寺　国四ノ九ウ

龍馬庭池　同六ノ廿六オ　同七ノ十四ウ

龍池　同六ノ廿五オ

瀧泉寺　同四ノ廿五オ

霊山　同二ノ十九オ

楞厳院　同十ノ廿九ウ

西社御幸　承石ノ二六オ

奴

額部立馬共数百疋

奴可ノ嶺ト云所ニ池アリ

奴可ノ池

国三ノ廿三ウ

同十二ノ十八オウ

同ノ十八オ

留

尾

尾張國篠木庄 国八ノ八オ

姨捨山 同五ノ卅二ウ

男山 同九ノ卅一ウ

男山 女郎花 若草 七ノ九オ

岡本宮 国十ノ六オ

岡本東宮 同十ノ八オ 同五オ 同八オ

園城寺 （同九ノ十三オ 同ノ九十二ウ

小野道 同四ノ七十五ウ

小野神主
小野一万大弁
〃―嶋　之於ノ国
〃―万
小嶋　宇佐
〃―万於里
小島山

同七ノ廿四ウ
同ノ廿四オ
十七ノ三ウ
十七ノ十六ウ
三ノ四オ
十七ノ三ウ
十四ノ十四ウ

和

和歌浦

和歌北うらわくし

吾カ山

和歌所ふ免し込むへし

和哥一所

渡山

波會郡

やくのへ

蔵ロノ百十二オ　日卅二ウ

日卅ウ　日五十二ウ

日ノ廿三オ

国七ノ九ウ

蔵ロノ十三ウ

日ノ十一ウ

国十ノ卅オ

日十二ノ四二オ

蔵ロノ六オ

わたれ屋乃橋　日ノ廿六オ

わすれ川　十九ノ十ウ

往生院　国四ノ拾字オ

和吉　日七ノ十四オ

鷲尾　十九ノ十ウ

わし乃山　釈御法乃花　（八ノ三ウ
赤五ノ五十九オ

鷲尾小まし先ちく瀧を蔵れ　廿ノ四オ

鷲尾　廿ノ二ウ　廿ノ三ウ

加

海津浦	国四ノ四オ
海岸寺	同六ノ三オ
戒壇院	同七ノ十四オ
河合社	赤石ノ廿三ウ
河合といふ所	国十ノ卌四ウ
かへる山	十七ノ十三オ
還ル山	国七ノ十八オ

かとり　浦紀　一ノ二オ
河東　同六ノ廿四ウ
賀留ノ里　同五ノ廿一ウ
鏡乃こや　伊勢　十七ノ十一オ
鏡山乃月　同十ノ廿一オ
かゝミ山　かゝミの山　（五ノ六ウ　十四ノ一オ
十七ノ一オ
上山天満天神　同十二ノ廿六オ
鏡石　同二ノ十五オ
かゝミ[illegible]吉　十八ノ四オ

かた岡乃森乃しめ縄　十一ノ八オ

片岡　十七ノ九二オ

片岡郷　国十ノ卌三ウ

堅田浦　日十二ノ卌一オ

片岡山　日一ノ九オ

葛木山　（日七ノ十四オ　一ノ二ウ）　一ノ十ウ　萬ノ九一オ　三ノ六オ

勝手大明神　国八ノ六三オ

葛木　日六ノ九オ

葛木下郡　日十二ノ二オ　日ノ五ウ

かつふ乃里　七ノ三ウ

梼菅岩屋　国十二ノ廿六オ

唐橋辺　同二ノ九ウ　同ノ十ウ

神崎郡　（同十二ノ十五オ　同四ノ十六ウ
同十二ノ廿六オ）

神田庄　同八ノ七ウ

かんさきのいやかたとく　家苞ノ廿十オ

かうらい　十九ノ廿オ

かうらうたのまて　十七ノ十六オ

香山ト云処　国十ノ三十七ウ

学問寺　国一ノ八オ
賀陽屋御かくまし　家る ノ五十二オ
萱津道場　国四ノ六五オ
かまと山　十三ノ十一ウ
鎌倉草創　国廿ノ十五オ
鎌倉瀧　同十七オ
鎌倉建長寺　同十二ノ七ウ
鎌倉　十九ノ十オ　九ノ四オ
かけ乃松原　下ノ十二オ

笠原庄　国十一ノ廿六ウ

糸乃れ山　十八ノ八オ

糸山殿　廿ノ十三ウ

糸の尾乃瀧　夫木ノ秋八ウ

かえん山　十三ノ十六オ

膳村面中津道　国十ノ五オ

柏原　日四ノ廿五ウ

かし乃　七ノ五ウ

膳村　国十ノ四ウ

伽毘羅衛　国二ノ十九ウ
加茂大明神ノ供奈　日十二ノ卅一オ
鴨原里　日七ノ十六オ
賀茂河原　日十ノ廿五オ
賀茂大明神　日九ノ廿八ウ
賀茂社ノ春属　日十二ノ卅二オ
かもの川　十四ノ三オ
かも北山本　六ノ五ウ
賀茂山ノ峯　国五ノ廿九オ

可世為智ノ書　国二ノ三オ
風布書　同二ノ二ウ　同三オ
春日大明神　同十ノ廿七ウ
春日山　(家石ノ六十二オ　同ノ六ノ二オ
(四ノ十三オ　七ノ五オ
春日野下構地獄　国ノ十ノ廿七ウ
春日山の東番山　同十ノ廿七ウ
春日神木宇治ニ遷玉ひしも侑庭ある　五ノ七ウ
春日埜　家石ノ廿八ウ
春日郡　国八ノ七オ

春日乃ミ社

家隆ノ五十八才

與

淀乃友ニ祢　三ノ五ウ
よと東　十九ノ十オ
淀穗積橋　国七ノ六七オ
淀橋ノ辺　日九ノ卅二オ
攝川ニ聊持仏堂ヲ建立シ　日十二ノ十二ウ
おほ舟の浦　十七ノ三オ
ヨサノ浦　国六ノ二ウ　日七オ
与喜村　日三ノ十六ウ

与喜大明神　国三ノ十六ウ
吉田今長谷　同七ノ三十オ
吉田社　同七ノ六八ウ
吉埜天河弁戝天　同八ノ卅三ウ
吉野山　同二ノ十四ウ　同六ノ卅八ウ
吉根郷　同八ノ九オ
よしは隈　十ノ十四オ
吉埜勝手大明神　国八ノ廿三オ
吉野　三ノ一ウ　六ノ十オ

吉水坊

吉野川

十九ノ七ウ

国四ノ卅六ウ

多

大谷山　国五ノ四ウ

大佛殿　同七ノ十五オ

大乗峯　同六ノ五オ　同ノ卅四ウ

大神宮　同十二ノ四一ウ

大安寺　同九ノ八ウ

大唐　同二ノ卅ウ

大乗峯此名霊山一會　同六ノ五オ

大日堂　同四ノ廿五オ

大霊石　同六ノ卅六ウ
大乗峯龍馬庭池　同ノ卅六オ
當麻寺　同十一ノ卅三ウ
谷汲　同七ノ卅三ウ
多度郡　同ノ三ノ二ウ
高埜山　同三ノ二ウ　同七ウ　同三ノ十ウ　同十一オ　同五ノ三十オ
高埜山新別埜　同四ノ卅四ウ
高尾寺　同十一ノ二オ
高雄神護寺　同三ノ六オ

多嶋郡　国五ノ卅四ウ

たくひらの杉　八ノ八オ　八ノ十オ

多久比良山　国十二ノ廿六オ

たくさこの浦　十四ノ三オ

多基大明神　国三ノ八ウ

多尾谷　同八ノ十一オ

乳川原　同十一ノ卅一ウ

多武峯　同十ノ廿七オ　同卅四オ

多武峯東御門　同十ノ卅四ウ

丹後国成相寺事	国八ノ四オ
丹後国久世戸文殊事	国六ノ二ウ
玉ノ泉	国九ノ廿九ウ
玉の井乃水	九ノ二オ
竹乃下	十七ノ五オ
立山地獄	国九ノ廿七ウ
立山	同ノ廿六ウ
瀧蔵御室殿	同三ノ十五ウ
瀧蔵権現	（同三ノ十六オ　同五ノ卅六オ 同二ノ廿五オ

灑蔵山　国二ノ廿四ウ

禮

蓮臺埜　国六ノ九ウ

曽

雙林寺

總持寺

增立寺

国六ノ四十オ

津

つる乃林　十三ノ五ウ　八ノ四ウ

つミくらけ　十九ノ六オ

つ乃国　家百ノ六十二ウ　同五十九オ

摂津国平野ト云処　国十二ノ廿八ウ

津の国乃こや　家百ノ四十三ウ

津国難波　国十ノ五ウ

つくり道　家百ノ七オ

つくま孫　九ノ三ウ

菟玖波
つくし乃海
筑《ツク》江《マエノ》急雨
つくま山
次家

十九ノ廿六ウ
十七ノ廿五オ
同十ノ廿ウ
十八ノ四オ
同一ノ廿六オ

袮

奈

内侍所乃とじ　家々ノ五オ

内侍所　同ノ五オ

内侍所乃御神楽　同ノ三オ

難波堀江　国五ノ十六オ

難波　（家々ノ六十二ウ　国十ノ五ウ
家々ノ四十九ウ　家々ノ五十九オ）

難波ろく　十七ノ十七ウ

難波里　国十ノ五オ

難波江　四ノ五オ

難波浦　国二ノ十九オ
難波津ノ梅　同ノ同
難波の梅　一ノ六オ
難波津　十九ノ六オ
名取川　奥州　十四ノ六オ
那智権現　国一ノ卅七オ
那智峯　同六ノ九オ
那智山　同一ノ卅五ウ
なるこらしく　（同ノ十二オ　十七ノ十五オ
十四ノ二オ　家百ノ卅二オ

なから乃小宿　　家白ノ廿六オ

なから此橋　　同ノ廿七オ　同ウ

中津道　　国十ノ廿オ

長尾寺　　同六ノ卅四ウ

中津前日十玉宮　　同一ノ卅四ウ　同ノ卅五オ

長嶋郡　　同四ノ卅三ウ

なからの橋柱の文臺　　家白ノ廿七ウ

長尾弥高太平三所寺　　国六ノ廿ウ

長尾寺御手洗河　　同ノ卅六オ

七の屋しろ
七粟ト云所
なゝ北古里
奈良路
成れる
成れ
奈良都
奈良京
平京七條西洞院

七ノ五オ　七ノ五ウ
同三ノ廿九ウ
十二ノ廿四オ
九ノ十五ウ
同八ノ五ウ
同七ノ卅三ウ
同十二ノ五ウ
同八ノ十オ
同九ノ廿七オ

南京北京　国九ノ廿二オ
南蛮　同一ノ一オ
泪川　九ノ二ウ
ナレマノ御前　国四ノ十七ウ
梨間唐笠掲　同ノ同

良

洛陽

洛陽七條邊

洛陽白川

洛陽四條西洞院

洛陽一條堀川

来迎院

同一ノ一オ　同四ノ九オ

同二ノ九ウ

同四ノ廿五オ

同五ノ三ウ

同三ノ卌五オ

同五ノ十九オ

同十二ノ廿九ウ

武

室郡　国一ノ卅四オ

室戸金剛寺　同三ノ三ウ

室乃戸　十九ノ十三ウ

室戸崎　国三ノ三ウ

室津海　同十一ノ五オ

室ト云一所　同五ノ十九オ

むろの海　十四ノ三オ

室比屋乃　十六ノ九ウ

無動寺今本堂　国一ノ十七ウ

紫野ノ兜の　七ノ三ウ

馬屋原　国四ノ十五ウ

馬繋辺　日一ノ六七オ

むさし野　十七ノ九ウ

武者所　家白ノ六オ

結宮《ムスフノミヤ》　国一ノ廿五オ

宇

宇治郡　国三ノ七ウ

宇治山や小野ゝゝ　巴ノ八ウ

宇治　十九ノ二オ

宇治平等院　国十二ノ五ウ

うち北壁　十九ノ三十オ

うち山　象日ノ廿七ウ　同五十九ウ

うち川　同ノ六七ウ

うち社上中下社　同ノ廿四ウ

うちの宝蔵　同ノ廿十三ウ

雲林院　国六ノ卅一ウ　拾六ノ十三オ

宇賀神郷　国四ノ十七ウ

宇賀大明神　同ノ十七オ

宇田庄　同十二ノ卅四オ

うたの山　萱花慕　廿ノ九ウ　十七ノ十二オ　十七ノ九オ

雲居寺　十九ノ六ウ　廿ノ二ウ

右近乃馬場　廿ノ十五ウ

うきしまか原　十七ノ十七ウ

牛原ト云所　国十ノ十七ウ

う志抱き乃岡のうや原　廿ノ九オ

韋

井明神

國六八ノ七ウ

乃

野路乃篠原　十七ノ卅オ

野鳴　三ノ七オ

於

大山寺　国五ノ廿五オ

大原山　同十二ノ廿九ウ

於本ふち　家百ノ卅八オ

於不為乃御門　同ノ五オ

大井河の精細を見えて　三ノ七ウ

大峯　(国六ノ九オ　同十一オ
(日六ノ卅八ウ

大家大路　日六ノ卅一ウ

大峯ヲ踏始　月二ノ十四オ

大内乃雀門	十九ノ二オ
大原	六ノ十四オ
大津浦	国五ノ卅ウ
大宮辺	日ニノ十オ
大鳥ノ郡	日ニノ十八ウ
大井川	三ノ七ウ
大云	国六ノ九ウ
音無川	国一ノ卅四オ
をとハ川	十四ノ七ウ

奥山寺
おふ乃浦
隠岐
忍上嶽

国二ノ二十オ
（十四ノ三ウ
十九ノ十四ウ
十九ノ十一オ
国六ノ卅五オ

久

黒戸　十九ノ卅オ

黒かミ山　十二ノ廿二ウ

栗太郡　同三ノ廿九オ

関東　同六ノ六ウ　同四ノ九オ

元応寺　同四ノ廿五ウ　同廿五ノ四ウ

月氏　同一ノ二オ

形成る　同八ノ十四オ

倉橋川　同十ノ七ウ　同ノ卅四ウ

倉橋宮　日十ノ七オ

鞍馬寺　（日九ノ十八オ　日十二ノ廿九オ）

鞍馬寺利生　日九ノ十七ウ

くらまの峯　十三ノ十四ウ

くらの山　十八ノ七オ

鞍馬山　国一ノ四十九オ

鞍馬寺正面内進士ノ間ト名附タリ　日五ノ十九オ

倉橋　日十ノ四ウ

くらん所　東西ノ六オ

熊埜権現　国一ノ卅六ウ

熊野御幸　十七ノ十六オ

熊野本宮　国一ノ卅七オ

熊埜　日八ノ十一オ　日十九ノ六ウ

熊野　日六ノ九オ

熊埜乃木家やにさを照り　家ノ五十七ウ

熊野山　国十一ノ卅四ウ

熊埜村　日一ノ卅四オ

熊埜山　日十二ノ十六ウ

孔子乃山

十九ノ六ウ

也

八幡宮　（国十二ノ廿一ウ／同八ノ卅五ウ）
八幡のミや暮御神楽　三ノ四ウ
八幡社乃連歌　廿ノ十二ウ
山乃梶井坊　一ノ一オ
大和武明白国治瀬河　国廿ノ三オ
大和国忍上嶽毘沙門堂　同六ノ卅五オ
大和国長谷寺辺　同二ノ廿一オ
山田庄吉根郷　同八ノ九オ

山上ト云所　同二ノ十四ウ

山階寺　同四ノ六オ

八坂塔　同六ノ十三ウ

八入ノ岡ノ紅葉　同二ノ四十ウ

八塩ノ岡　同四ノ四ウ

八島　十九ノ十一オ

文

松島　十七ノ三オ

まつらの山　十三ノ十六ウ

松尾明神　国一ノ卅九オ

松室児城仙叟　月十一ノ卅四ウ

松尾寺　日六ノ六ウ

松浦のうら　筑紫　十七ノ十一オ

松尾大明神　国六ノ卅一ウ

まつらうく　十七ノ廿五オ

まゝのはゝき橋
淌きの嶋人
槇尾寺
舞坂
まいきくい

九ノ七オ
家白ノ六七ウ
国三ノ三オ
十九ノ卅オ
日ノ日

計

建長寺　国十二ノ九ウ

建仁寺　同四ノ九オ

教王護国寺　同三ノ六ウ

不

不破関屋　国四ノ廿五オ

不破乃関　十八ノ五ウ

藤澤　廿ノ十三ウ

婦る埜　石上云々　十ノ十オ

ふる乃社　七ノ五オ

深草　十八ノ六ウ　五ノ十一オ

ふくゝ乃浦　四ノ十五二ウ

二本乃揖　国二ノ六四ウ

二塚ト云所　国十ノ十七ウ
福原北京　十九ノ三オ
冨士山麦　国十二ノ四三ウ
冨士山者月氏震旦日域間無双名山　日十二ノ四三ウ
冨士郡　国十二ノ四四オ
冨士嶽後葺火烟　日十二ノ四六オ
ふし乃嵩　三ノ十オ　四ノ九オ
冨士の明神　七ノ一ウ
伏見乃里　七ノ七ウ　十ノ二三ウ

冨士
冨士北れふし
ふし
ふし北根
伏見
ふしミ山

図十二　四四ウ
十三ノ六オ
十九ノ十一ウ
十七ノ六ウ　十七ノ十三オ
十八ノ六ウ
廿ノ九ウ

古

衣乃関　十七ノ五オ

言《コト》両《ワケ》ノ嶺　国十二ノ十八オ

言両ト云山　日ノ十七オ

粉川寺　日二ノ二オ

粉川　（日七ノ卅三ウ　日二ノ二ウ
日二ノ三オ

久我縄手　日十ノ十七オ

五大院　日廿ノ三十オ

金剛山　日十ノ十七ウ

金剛峯寺　国三ノ七ウ

金剛寺　近江　十七ノ十一ウ

江州栗太郡内　国三ノ廿九オ

江州神崎ノ郡　日十一ノ十五オ

江州比叡山厳雲法師内　日六ノ四六オ

江州佐野郷宇賀大明神影向内　日四ノ廿八オ

江州蒲生郡渡山ニ一基アリ　国十一ノ三十オ

興福寺ヲ建立　日一ノ七ウ

小井戸ト云所　日八ノ十四オ

極楽寺郷　国八ノ十四オ
極楽堂　雲居寺　十九ノ六ウ
極楽寺　大原　卅ノ十四オ
ごや　家日ノ五十九オ
ごゐ　十三ノ九ウ
んはくし　二ノ十二オ
五條西洞院　国十ノ六十四オ　同廿五ウ
ごし　十九ノ五オ
ごしの大和　十九ノ七ウ

越路　国四ノ六ウ

五所ノ王子　同一ノ卅五オ　又ナ

越ノ白山　同七ノ十七ウ

子守宮　同一ノ卅六オ

衣

巖山ミ北ノ洞

江沼郡

延暦寺ト云所

延政所門

延暦寺東塔北谷

擭ノ島

国八ノ三十オ

日七ノ十六オ

日十ノ卅二オ

家白ノ七オ

国十ノ卅一ウ

日四ノ十九オ　日十ノ十五オ

江口の先一ヶむすぶ

江口

家百ノ七十才

国十ノ五才

天

寺ハ三井山ハ横川

八ノ六才

天龍寺
天王寺乃　御幸
てらし

廿ノ八オ
宗因ノ六オ
十九ノ十ウ　十九ノ十四オ

安

愛智川原　国四ノ六八オ

阿育王石塔ある　月十一ノ三十ウ

粟田口　月五ノ二二ウ

あハ地乃国　ここおりなし　十二ノ六五オ

淡路かくせと　四ノ七ウ

阿波大瀧嶽　国三ノ二ウ

あまて乃ほし　九ノ八オ

阿みの森と申神　十九ノ九オ

跡のうら　十七ノ十四オ
ありまの湯泉　十ノ一オ
有間温泉　廿ノ十二ウ
青木ト云山里　国十一ノ卅オ
明石浦　日十一ノ卅オ
赤坂　日十一ノ卅九ウ
明石浦 霊木アリ　日七ノ廿八オ
あかし北浦　家日ノ十二ウ
阿佐ゝ乃里　八ノ七ウ

明石　十七ノ十五オ　十七ノ十八オ
愛宕　國十ノ八ウ
愛宕大門　月一ノ廿八オ
あつ海　十九ノ十四オ
あつく　数　七ノ三オ
熱田　國一ノ十四ウ
あまくこうち北湯　十九ノ卅ウ
姉川　國六ノ卅六ウ
穴太　月七ノ卅三ウ

荒知山　国七ノ十六ウ
嵐山　廿ノ十四オ
安楽寺　七ノ一オ
安楽社頭　九ノ十三オ
安養院　国二ノ四十オ
安楽寺云家より造営此支　七ノ一オ
あし屋乃沖　十七ノ二ウ
天理ト云所　（国四ノ卅五ウ　日三ノ八ウ
天ノ香久山　日一ノ十二ウ

天橋立　国六ノ二ウ　同八ノ五オ

天川　八幡よりよどまで　七ノ三オ

あまのかく山　家百ノ九八ウ

阿きしの原　十三ノ十ウ

近江湖水　国六ノ六オ

相坂関　九ノ二ウ　十ノ四ウ

会坂関寺　国十二ノ九オ

近江国竹生嶋　同ノ卅六オ

近江路　同四ノ七五ウ

あこきゝ　十七ノ五ウ　十七ノ七オ

逢坂乃山　廿八ノ一ウ

近江美濃両國乃境　同六ノ五オ

浅ましみけ　一ノ一オ

浅香山古跡ヲ踏　同六ノ卅八オ

なきて　りまとの　家日ノ四十五オ

安藝國両像ト云山里　熊野へ行路　同十三ノ廿ウ

秋北ゝ里　十三ノ一ウ

秋清き　家日ノ十二ウ

阿弥陀峯
芦屋北里
足柄
飛鳥川
あすか北里
あすか井

国十ノ十七ウ
家四ノ六九オ
十七ノ五オ　十九ノ十四オ
（二十ノ十ウ
十九ノ六八ウ　十四ノ八オ
五ノ六オ　八ノ七ウ
十七ノ十四ウ

佐

西大寺
西芳精舎
さい院乃御所
西条ト云山里
最勝寺
宝縁寺北ろうり
佐保川之流
さほ乃山

国七ノ十五オ
（二ノ三オ　二ノ四ウ　六ノ四ウ
六ノ九オ　十二ノ九オ　十二ノ二ウ
十二ノ七オ　十九ノ十八ウ
家日ノ五オ
国十二ノ六ウ
家白ノ三オ
日ノ日
席ノ二ウ　廿十席ノ六ウ
さほ川乃ミなもと
年ノ十二オ

佐保川　十二ノ卅一オ
さほのかはら　十九ノ五オ
佐渡　十九ノ十一オ
酒折宿　十九ノ廿六ウ
嵯峨ト云所　同八ノ十五ウ
坂東　同七ノ十八オ
嵯峨野奥　同六ノ廿八オ
坂田郡大乗峰　同六ノ廿四ウ
さよの中山　十七ノ廿三オ

更級郡　（国五ノ卅五オ　月ノ卅二ウ）

さらしな　家日ノ五十一オ

三國寺一山　国十二ノ四十六オ

山門無動寺遅命上人事　月七ノ二ウ

山王権現　月十一ノ八オ

三銘松　月三ノ九オ

蔵王権現　月二ノ十五オ

桜池　（月十二ノ卅六ウ　月ノ卅七ウ）

佐々木　近江　十七ノ十二ウ

醒井
サメガ井

国一ノ十五オ
日四ノ六五ウ

喜

きり屋乃山　紀州記　十二ノ一ウ
清水寺　謌　（八ノ一オ　国一ノ九七オ
きよミつ〳〵　十七ノ十六ウ　十七ノ九二ウ
清水　国七ノ卅三ウ
玉泉房　日九ノ九九オ
清見か関　十二ノ一ウ
清水寺ゝ衆徒　国九ノ十五ウ
清水観音　日一ノ一オ

清水寺観音霊験　国一ノ廿六ウ

北ノ郡　日四ノ廿六オ

北京　日二ノ九ウ

北山乃花　一ノ十四オ

北聖　十八ノ七ウ

北聖明神是十一面化現也　国三ノ十七ウ

祇墮林寺ノ地蔵講　日九ノ廿七オ

北野山庄　十三ノ四オ

北山辺郡　国八ノ十四オ

きそち　十九ノ十一ウ
金峰　国六ノ九オ
金峰山ト号　同二ノ十四ウ
金龍寺　同一ノ卅九ウ
金峰山本縁　同二ノ十四オ
金蓮院　同七ノ卌三ウ
木ノ濱ト云所　同三ノ卌九ウ　同十三ノ卅ウ
北野社千句　廿ノ十五ウ　同ノ十六オ
木目坂　国七ノ廿八オ

北野天神　国三ノ十六ウ
北野社千句連歌　（三ノ八ウ　五ノ四ウ　五ノ六オ　六ノ十四オ　十七ノ四ウ
木目巓　国四ノ三十ウ
紀河　円三ノ八オ
經津岬　円六ノ二ウ
貴船大明神　円一ノ四九オ
貴船河　円一ノ四九オ
きひ乃中山　十七ノ廿五ウ

由

弓ま　十九ノ十七オ

喩羽峯　国一ノ卅四オ

夢殿　同一ノ八ウ

女

美

三保乃松原　十七ノ廿二ウ

三輪山　国十ノ十五オ　日四ノ六ウ

三瀦川　日四ノ六ウ

三輪ノ別所ニ不動堂ヲ立　日八ノ廿四ウ

三輪乃山もと　十七ノ十七オ

三輪の山　十三ノ十三ウ（日ノ十五オ）

ミくれ杣山　案三輪記　十三ノ十三ウ

ミかのはら　十七ノ一オ

三笠山　（十八ノ三ウ　七ノ八オ
　　　　（家日ノ五十六ウ
御手洗河　国六ノ廿六ウ
水田ト云所　月一ノ十四ウ
御津ノ濱松　月三ノ十九オ
密蔵院　月八ノ七オ　月ノ八ウ
三乃たから　三宝院　ハノ十ウ
水無瀬川　家日ノ五十一ウ　月ノ卅六ウ
南乃山　月ノ六十一オ
南ノ京　国四ノ廿四ウ

ミむろ乃山　十二ノ十四オ

みのを山　十七ノ三ウ

箕ノ面　国四ノ十九オ

ミくまれ　（十八ノ九ウ　家百ノ十六オ

ミクリヤノ池ニ立頭光沸宝前　国四ノ三オ

都　家百ノ五十ウ

名超寺　国六ノ六ウ

宮津　日ノ三オ

吻物津　日三ノ五一オ

みやきの

みやこ

宮津海岸寺

御影堂

五ノ八ウ

家四ノ四十九ウ

国六八ノ三十オ

日三ノ九オ

之

しほのまの浦　十七ノ九ウ
塩乃路　同二ノ九ウ　同十オウ
七大寺　同九ノ八ウ　同十二ノ五ウ
七社神輿　同七ノ二ウ
志賀乃らふさ花　十七ノ六ウ
志賀浦花　同十ノ廿一オ
志賀乃松　七ノ七ウ
しかのからさき　九ノ七ウ
志賀浦ノ松　同十ノ廿ウ

しら北国　康之歌　八ノ七オ
志賀寺　国六ノ四四オ
しら北浦　志賀乃山こえ　（一ノ一オ　二ノ四オ
三ノ一ウ　二ノ六オ
志かの川　五ノ二ウ
證誠殿　国一ノ廿四ウ
書写山ノ性空上人　同十一ノ四ウ
書写山　同十二ノ十六ウ
慈尊院　同三ノ八オ
信濃国善光寺　同十ノ十五オ

科長山　日一ノ九オ
しら川乃御堂　家百ノ六十三ウ
白鳥大明神　国一ノ十五オ
白川　同五ノ二ウ
白川地蔵　同ノ四ウ
白山禅定　同四ノ三オ
白川之応寺　同ノ廿五ウ
白山　十二ノ廿七オ
白川ノ御房　国十二ノ四オ

新羅國獻佛像　国一ノ六ウ
新羅國　同一ノ六ウ
震旦　同一ノ一オ
新長谷寺　同五ノ卅五オ
新長谷寺縁起　同五ノ卅二ウ
神國　同五ノ廿九オ
信州級更郡白介翁支　同五ノ廿二ウ
神泉薗　同五ノ十三ウ
新宮　同一ノ卅五オ

北別埜下云所
志のふ乃里
四宮河原
篠木於義所
篠木庄
常住院泣不動
常在光院
笠ノ岩屋
証誠一所西所権現

國四ノ卅四ウ
十七ノ廿一オ
國五ノ廿六オ
國八ノ八ウ
同八ノ七オ　同八オ
同九ノ十四オ
（一ノ三オ　廿ノ三ウ
廿ノ十三オ　廿ノ十四ウ）
國二ノ十五オ
同一ノ卅五オ

嶋下郡　国七ノ廿八ウ　同五九オ

十宮　同一ノ廿六オ

渋河　同一ノ七オ

四天王寺ヲ造リ　同一ノ七ウ

四条河原　同一ノ卅九オ

志紀郡　同一ノ七オ

シキ島ノ藪ノ松風　同二ノ四十オ

春花門　家百ノ七オ

首楞嚴院　国八ノ三十オ

四明　国七ノ十八ウ
｜ゑちう京　巴ノ七ウ
四所明神　国一ノ卅六オ　同ノ卅五オ
師子渡　同六ノ三オ
下総國飯罡　同八ノ十五ウ
下醍醐　同四ノ廿六ウ

恵

繪所　家ノ廿九ウ

ゑとのちやうし　十九ノ十二オ

ゑところ一所　同ノ同

回福寺　国八ノ八オ

比

飛瀧権現　国一ノ廿五ウ

比らし山乃あれ　二ノ八ウ

東山　国九ノ廿二ウ　日一ノ一オ

東山双林寺　同六ノ四十オ

日吉社　四ノ十二オ

日吉十禅師社　国十ノ廿一ウ

常陸国神田庄　同八ノ七オ

常陸与出羽ニ言西トイフ山アリ　日十二ノ十七オ

平埜ト云所　国十二ノ廿八ウ
平埜　七ノ八ウ
平野ノ橋　国十二ノ廿八ウ
平野ゝ前本神　十九ノ廿七オ
平泉寺別当　国七ノ十六ウ
平石ト云所　同廿ノ廿二オ
ひらのゝ海　十二ノ廿五ウ
比良山　国十二ノ廿六オ
飛ら乃高根　十二ノ廿三ウ

敏満寺　国六ノ六ウ
ひんかし乃むさし　家四ノ十二ウ
鮫ノ河上　国一ノ十三オ
む乃くま川　十七ノ十四ウ　三ノ九ウ
火置嶋　国六ノ三ウ
百済国　日一ノ六ウ
平等院　三ノ十一オ
百済寺ハ彼一万大井ヲ勧請ノ　国七　廿五オ
百済寺金蓮院　国七ノ廿三ウ

兵庫乃島　廿ノ八オ
屏風浦　同三ノ二ウ
ひふもん　家白ノ七オ
比叡山横川　同十ノ廿四オ
比叡山西坂　同十ノ廿五オ
比叡山玉泉房　同九ノ廿九オ
聖宮　同一ノ廿六オ
毗沙門堂のまれ　（一ノ六ウ　一ノ十ウ　三ノ二ウ
三ノ廿オ　十四ノ十三オ

毛　国五ノ廿七オ
唐ノ吉野山奥　同十一ノ三十ウ
諸木山　同五ノ卅四オ
薮ト云所　十九ノ十七オ
もり山　十七ノ廿五オ
もし比関　九ノ四オ
文字乃関

世

清涼殿　国五ノ七ウ

西都　同四ノ十九オ

清閑寺　（十ノ五オ　九ノ十四ウ　大ノ十六ウ

芹沢　国八ノ十四オ

勢多橋　同三ノ二十オ

善光寺　（同二ノ四オ　同五ノ卅三オ

禅林寺　（十九ノ十七ウ　十九ノ廿三ウ　大ノ十ウ　国五ノ十三ウ

善勝寺　（国五ノ四ウ　同十一ノ十五オ　同十一ノ十六ウ

禅子宮　国一ノ卅六ウ

先宮　同一ノ卅六オ

招提寺道場　同七ノ十四ウ

招提寺荒廃タルヲ再興シ　同七ノ十五ウ

招提寺　同七ノ十四ウ

清浄光寺　藤沢　九ノ十三ウ

関山　国四ノ三十オ　同廿六オ

関寺　同五ノ三十ウ

瀬沵ト云所　同六ノ廿六ウ

寸

すは神　七ノ八ウ

周防室津海　国十一ノ五オ

諏訪明神祭礼　日七ノ廿八ウ

諏訪明神祭礼多ノ麻ヲ供御ニ奉備　国七ノ廿一ウ

諏訪明神禽鳥獣類ヲ贄トシ玉フ　日十七ノ廿一オ

磨針山　国一ノ十五オ　日七ノ廿四ウ

磨針　日四ノ九五ウ

すゑるの北海　十七ノ十六オ

菅原北神　二月の法の席　七ノ三オ　七ノ九ウ

須磨の浦　四ノ五オ　四ノ七ウ
廿七ノ十五オ　同ノ九オ

すまのしほや　十一ノ十四オ

摺坂道　国三ノ十七オ

住吉神　家右ノ十七オ　同ノ廿三オ

住吉庄　国五ノ十六オ

住吉大明神　（同五ノ十六オ　同ノ十七オ
同ノ十九オ

住よしの浦　（四ノ七ウ　五ノ一オ
七ノ四十オ

住吉　家右ノ四十五オ

住江　国五ノ十七ウ

住吉へ御幸　家四ノ六オ

末和田山　国十二ノ五ウ

雀門　十九ノ一オ

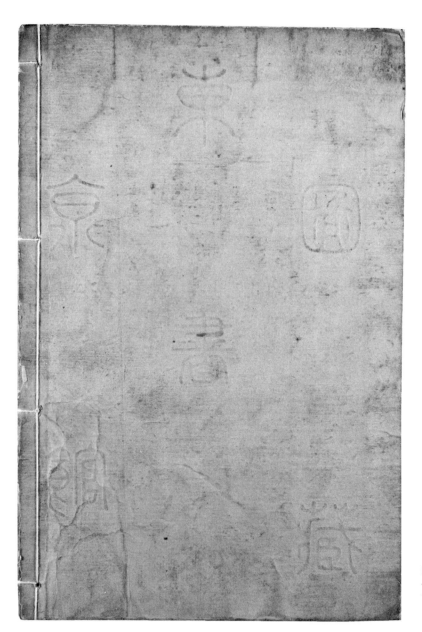

【監修・解題】

梅田　径（うめだ・けい）

1984年生まれ。2016年早稲田大学文学研究科日本語日本文学コース満期退学。現在、帝京大学文学部日本文化学科講師。博士（文学）。

〈単著〉『六条藤家歌学書の生成と伝流』（勉誠出版、2019年）。『翻刻　松屋外集　巻一』（オリンピア印刷、2023年）。『翻刻松屋外集　巻二』（オリンピア印刷、2024年）。

〈論文等〉「野田忠粛『夜夢想』翻刻と解題」（『古代中世文学論考』54、新典社、2024年）。「和歌初学者へのまなざし―院政期歌学の認識とその背景―」（『緑岡詞林』48、2024年３月）。「『野田の足穂』の翻刻と解題」（『汲古』83、2023年６月）。『日露戦争と軍人の風流―『風俗画報』「征露図会」特集号における「韜略の余事」をめぐって―』（『戦争と萬葉集』5、2023年３月）。「小山田与清の子息をめぐって―与叔と清年と蔵書の関係―」（『青山語文』53、2023年３月）。「小山田与清旧蔵書のゆくえ 附〈翻刻〉早稲田大学図書館蔵『明治四拾年六月調 高田氏寄託図書目録』（『緑岡詞林』46、2022年３月）。「秘伝の行く末―歌学秘伝における思想の伝播と権威のメカニクス」（『ユリイカ 詩と批評』52－15、青土社、2020年11月）。

書誌書目シリーズ126

『諸字類集成《しょじるいしゅうせい》』

小山田与清《おやまだともきよ》『群書捜索目録《ぐんしょそうさくもくろく》』V　第四巻

二〇二五年一月　十七日　印刷
二〇二五年一月三十一日　発行

監修・解題　梅田《うめだ》　径《けい》
発行者　鈴木一行
発行所　株式会社ゆまに書房
〒一〇一－〇〇四七
東京都千代田区内神田二－七－六
電話〇三（五二九六）〇四九一（代表）
印刷　株式会社平河工業社
製本　東和製本株式会社
組版　有限会社ぷりんてぃあ第二

本体18,000円＋税

ISBN978-4-8433-6897-8 C3300